Chor aktuell

Ein Chorbuch für
Gymnasien

im Auftrag des
Verbandes Bayerischer
Schulmusikerzieher

herausgegeben von

Max Frey
Bernd-Georg Mettke
Kurt Suttner

1983
Gustav Bosse Verlag
Regensburg

Lernmittelfreiheit

Lernmittelfrei genehmigt in
Baden-Württemberg,
Bayern,
Berlin,
Hamburg,
Niedersachsen
und Saarland

In Bremen,
Hessen,
Nordrhein-Westfalen,
Rheinland-Pfalz
und Schleswig-Holstein
entscheiden die Schulen
in eigener Zuständigkeit
über die Anschaffung
von „Chor aktuell".

© Copyright 1983 by Gustav Bosse Verlag GmbH & Co. KG, Regensburg
Alle Rechte vorbehalten – Printed in Germany
Nachdruck, auch auszugsweise, nur mit Genehmigung des Verlages
ISBN 3 7649 2248 6
Umschlagentwurf: Peter Dorn
Notensatz: Kultura, Budapest
Druck: Bärenreiter, Kassel

Inhaltsverzeichnis

Abkürzungen und Zeichenerklärungen

S = Sopran   A = Alt   T = Tenor   B = Baß

$\frac{A}{(T)}$ = Alt oder Tenor mit Alt gemischt

Vorzeichen innerhalb des Notentextes gelten bis zum nächsten Takt- bzw. Mensurstrich

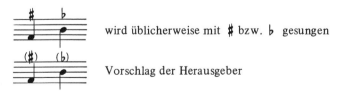

wird üblicherweise mit ♯ bzw. ♭ gesungen

Vorschlag der Herausgeber

Bei Taktwechsel gilt (wenn nicht anders angegeben) ♩ = ♩

Tü → Hinweis auf die Textübertragung im Anhang

Vorwort

Singen im Chor wird von jugendlichen Chorsängern dann akzeptiert und vollzogen, wenn es lebendiger 'Ausdruck eines aktuellen Musikempfindens ist. Immer mehr erweist sich bei jungen Chören der Bereich der zeitgenössischen Chormusik als guter Einstieg in das Chorsingen. Für den Jugendlichen steht am Anfang des Chorsingens die Entdeckung seiner eigenen Stimme als ihm zur Verfügung stehendes musikalisches Ausdrucksmittel. Dazu sollen Stücke mit Sprechchorcharakter, mit aleatorischen Kompositionsprinzipien und mit Niederschrift der kompositorischen Ideen in grafischer Notation ebenso dienen wie Spirituals, Popsongs und Folkloresätze.

Ganz von selbst ergibt sich ein fließender Übergang zur Beschäftigung mit der europäischen Vokaltradition. Sowohl im geistlichen als auch im weltlichen Bereich umfaßt die vorliegende Sammlung — exemplarisch ausgewählt und historisch angeordnet — Beispiele aus der gesamten europäischen Entwicklung der Vokalmusik.

Ein Chorleiter muß Chorsätze bereit haben, die sein Chor mit verhältnismäßig wenig Mühe gut singen und darstellen kann. Er muß aber auch immer wieder an Stücken arbeiten, die an der oberen Leistungsgrenze des Chores liegen. Hermann Hesse hat in einer Rezension geschrieben: ,,Damit das Mögliche entsteht, muß immer wieder das Unmögliche versucht werden." Diesem Umstand möchte die vorliegende Chorsammlung Rechnung tragen. Der Schwierigkeitsgrad der Beispiele reicht vom schlichten Weihnachtslied bis hin zur anspruchsvollen Motette, vom einfachen Gospel bis zum farbig arrangierten Popsong, vom Volksliedsatz bis zum schwierigen Chorlied, vom leicht zu realisierenden Sprechchor bis zur komplizierten Artikulationsetude.

Die unterschiedliche Notation der Chorsätze (Gregorianik, Faksimiledruck modaler Notation, Umschrift der Mensuralnotation in taktstrichlose Partitur, Taktnotation aus Barock, Klassik und Romantik, grafische Notation, Rhythmusnotation der Sprech- und Artikulationschöre) bringt vor allem für Kollegstufenchöre an Gymnasien ein sehr vielfältiges Anschauungsmaterial.

Bei den Folkloresätzen wurde in den allermeisten Fällen der originalen Sprache der Vorzug gegeben. Aussprachenhilfen sollen dazu beitragen, fremdsprachliche Texte zu erarbeiten. Eine nicht ganz korrekte Wiedergabe der originalen Sprache ist nach unserer Auffassung einer klanglich entstellenden deutschen singbaren Übersetzung in jedem Falle vorzuziehen. Im Anhang finden sich zu allen fremdsprachlichen Texten deutsche Sinnübersetzungen.

Ein eigener Abschnitt mit ,,chorischen Übungen" soll dazu dienen, in der Chorarbeit das auszuführen, was im instrumentalen Bereich eine Selbstverständlichkeit ist: An kurzen, von der Literatur losgelösten Übungen werden Sing-, Hör- und Lesetechniken erlernt. In den parallel zum Chorbuch erschienenen ,,Arbeitshilfen zu Chor aktuell" werden Wege aufgezeigt, diese technischen Übungen lebendig in die Erarbeitung der einzelnen Chorsätze einzubeziehen. In diesem Band werden darüberhinaus zu den einzelnen Chorsätzen historische Anmerkungen und Interpretations- und Erarbeitungshilfen gegeben.

Dem Ehrenvorsitzenden des Verbandes Bayerischer Schulmusikerzieher Heinz Benker sei an dieser Stelle herzlich dafür gedankt, daß er durch seine Initiative den Herausgebern den Anstoß dafür gab, die Chorsammlung zu erarbeiten und im Druck vorzulegen. Die Herausgeber hoffen, daß das Chorbuch neue Impulse geben wird für das Chorsingen an Schulen und im Bereich der außerschulischen Laienmusikpflege. Die Vielfalt des Repertoires möge Verbindungen herstellen zwischen Chören verschiedenster musikalischer, geografischer und gesellschaftlicher Herkunft und Zielsetzung.

Max Frey
Bernd-Georg Mettke
Kurt Suttner

Kyrie „in festis duplicibus"
(Cunctipotens genitor deus)

gregorianisch

Ky-ri - e   e - le - i -son. iij.   Chri - ste   e - le - i -son. iij.

Ky-ri - e   e - le - i -son. ij. Ky-ri - e   e - le - i -son.

a Ky -ri - e _____ e - ____ le - i - son.

b Chri - ste _____ e - ____ le - i - son.

c Ky - ri - e _____ e - ____ le - i - son.

d Ky -ri - e _____ e - ____ le - i -son.

Ausführung: dreimal a — dreimal b — zweimal c — einmal d

Übertragung: K.S.

Cunctipotens Genitor Deus

Cun - - -cti - po - - - -tens Ge - ni - - tor

Cun - - -cti po - - - -tens Ge - ni - - tor

De - - - -us, om - ni Cre - a - - tor,

De - - - -us, om - ni Cre - a - - tor,

e - - - - - - - le - i - son.

e - - - - - - - le - i - son.

Übertragung: Hans Ganser

Zweistimmiger Organalsatz über den Kyrietropus „Cunctipotens" (gekürzt)
Santiago di Compostela, ca. 1140 (Kathedralbibliothek, Liber Sancti Jacobi = „Codex Calixtinus")

Tü→ (Ausführung siehe Arbeitshilfen zu Chor aktuell)

folio 32 recto

folio 32 verso

folio 33 recto

folio 33 verso

2-stg. Conductus und 2-stg. Lesung aus der Matutin des Weihnachtsfestes.

Handschrift aus dem Kloster Dießen, Anf. 15. Jh. (Bayerische Staatsbibliothek, München, Codex latinus monacensis 5539)

Gaudens in Domino (Conductus)

Anfang 15. Jh.

Gau - dens in Do - mi - no   in hoc sol - lem - ni - o
Hym - nis et or - ga - nis   ad lau - dem prae - su - lis
Qui ab in - fan - ti - a   di - vi - na gra - ti - a
Et tu pro - gre - de - re,   o lec - tor, in - ci - pe

lae - te - tur om - ni - um   tur - ba fi - de - li - um.
cu - ius mi - ra - cu - la   co - lit ec - cle - si - a.
ser - vi - vit do - mi - no   de - vo - to a - ni - mo.
in pri - mo car - mi - ne   dic iu - be do - mi - ne.

*) evtl. Fehler im Manuskript, besser: g—h anstatt: fis—a

Jube Domine (Lesung)

Lektor I
Ju - be do - mi - ne si - len - ti - um et au - res au - di - en - ti - um, ut pos - sint

Lektor II

in - tel - li - ge - re et ego be - ne - di - ce - re. Pri - mo tempore al - le - vi - a - ta est

terra za - bu - lon et terra nep - ta - lim et no - vis - si - mo ag - gra - va - ta est

via ma - ris tran - siordamen gali - lae - ae gen - ti - um. Haec di - cit

dominus de - us con - ver - timini ad me et sal - vi e - ri - tis.

Tü → (Ausführung siehe Arbeitshilfen zu Chor aktuell)

Übertragung: K.S.

Vexilla regis prodeunt (Hymnus und Fauxbourdonsatz)

1. Ve-xil - la re - gis prod - e-unt, ful-get cru-cis my-ste - ri-um, quo car-ne
3. Im-ple - ta sunt quae con - ci - nit Da-vid fi-de - li car - mi-ne, di-cen-do
5. Te fons sa-lu - tis Tri - ni - tas, col-lau-det om - nis spi - ri-tus: Qui-bus cru-

1. car - nis con - di-tor sus-pen - sus est pa - ti - bu-lo.
3. na - ti - o - ni-bus: Reg-na - bit a lig-no De-us.
5. cis vic-to - ri-am lar-gi - ris ad-de prae-mi-um. A - men.

Guillaume Dufay, um 1400—1474

2. Quae vul - - ne-ra - - ta lan - -ce - - -
4. O crux___ a-ve___ spes u - -ni - - -

2. ae mu - cro-ne___ di - ro, cri - - mi - num ut
4. ca hoc pas-si - o - nis tem - - po-re pi -

2. nos la-va - - ret cor - - di - - bus, ma -
4. is ad au - - ge gra - - ti - am, re -

2. na - - vit un - - - - da et san - gui - ne.
4. is - - que de - - - - le cri - mi - na.

Alta Trinità beata

Aus Italien, 15. Jahrhundert

Al - ta Tri - ni - tà be - a - ta, da noi sem - pre

a - do - ra - ta, Tri - ni - tà glo - ri - o - sa

u - ni - ta ma - ra - vi - glio - sa. Tu sei man - na

sa - po - ro - sa e tut - ta de - si - de - ro - sa.

Tü →

Bearb.: K.S.

O Jesu, fili David

Josquin Desprez, um 1440–1521

Tü → (zur Besetzung siehe Arbeitshilfen zu Chor aktuell)

Bearb.: K.S.

ⓒ 1983 by Gustav Bosse Verlag GmbH & Co. KG, Regensburg

Tu pauperum refugium

Josquin Desprez, um 1440–1521

*T. 21–27 Alt wegen der tiefen Lage evtl. durch einige Tenöre verstärken

Ein Kindlein ist uns heut geborn

Jacobus Clemens non papa, 1510—1556

O crux ave

Giovanni Pierluigi da Palestrina, 1525–1594

Tü →

Freut euch, ihr lieben Christen

Leonhard Schröter, 1532–1601

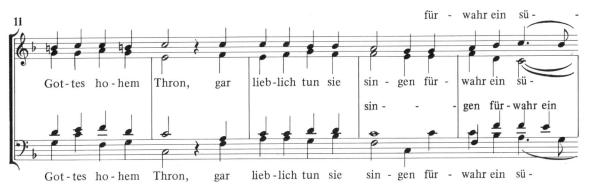

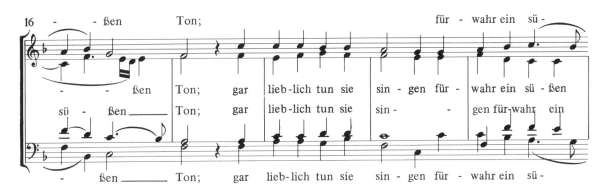

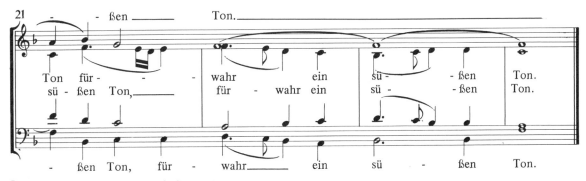

Gloria patri

Orlando di Lasso, 1532–1594

Bearb.: K.S.

O bone Jesu

Marco Antonio Ingegneri, 1545–1592

Tü →

Ich lag in tiefer Todesnacht

Johann Eccard, 1553–1611

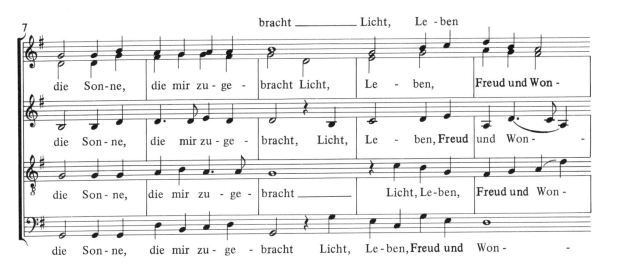

2. Ich sehe dich mit Freuden an
   und kann nicht satt mich sehen;
   und weil ich nun nichts weiter kann,
   bleib ich anbetend stehen.
   O daß mein Sinn ein Abgrund wär
   und meine Seel ein weites Meer,
   daß ich dich möchte fassen.

3. Eins aber, hoff ich, wirst du mir,
   mein Heiland, nicht versagen,
   daß ich dich möchte für und für
   In meinem Herzen tragen.
   So laß mich doch dein Kripplein sein,
   komm, komm und lege bei mir ein
   dich und all deine Freuden.

Lobt Gott getrost mit Singen

Adam Gumpelzhaimer, 1559—1625

28

14

ihr gleich hier müßt tra - gen viel ___ Wi - der-wär - tig-keit, viel Wi -

ihr gleich hier müßt tra - gen viel ___ Wi - der-wär - tig-keit, viel Wi -

ihr gleich hier müßt tra - gen viel Wi - der-wär - tig - keit, viel Wi - der -

ihr gleich hier müßt tra - gen viel Wi - der-wär - tig - keit, viel Wi - der -

18

- der-wär - tig - keit, ___ noch sollt ihr nicht ver - za - gen, er ___

- der-wär - tig - keit, ___ noch sollt ihr nicht ver - za - gen, er ___

wär - tig - keit, ___ noch sollt ihr nicht ver - za - gen, er

wär - tig - keit, ___ noch ___ sollt ihr nicht ver - za - gen, er

22

___ hilft aus al - lem Leid, er hilft aus al - lem Leid. ___

___ hilft aus al - lem Leid, er hilft ___ aus al - lem Leid. ___

hilft aus al - lem Leid, er hilft aus al - lem Leid. ___

hilft aus al - lem Leid, er hilft aus al - lem ___ Leid. ___

Bearb.: K. S.

Ehre sei dir, Christe

Heinrich Schütz, 1585–1672

(Schlußchor aus der Passion nach Matthäus)

Die Nacht ist kommen

Johann Hermann Schein, 1586—1630

1. Die Nacht ist kom - men, drin wir ru - hen sol - len;
2. Laß uns ein-schla - fen, mit gu - ten Ge - dan - ken,

1. Gott walts zu From - men nach seim Wohl - ge - fal - len, daß wir uns
2. fröh - lich auf - wa - chen und von dir nicht wan - ken. Laß uns mit

1. le - gen in seim Gleit und Se - gen, der Ruh zu pfle - gen.
2. Züch - ten un - ser Tun und Dich - ten zu deim Preis rich - ten.

Dame albricias, hijos d'Eva

Villancico aus Spanien, 16. Jahrhundert

Aussprache: c = wie englisch „th"; j = ch (wie z. B. in „Loch"); qu = k; h im Anlaut nicht gesprochen

dios: sehr kurzes i, Betonung auf o

Tü→

Machet die Tore weit

Andreas Hammerschmidt, 1612–1675

Ma - chet die To - re weit und die Tü - ren in ___ der Welt
Ma - chet die To - re weit und die Tü - ren in ___ der Welt
Ma - chet die To - re weit und die Tü - ren in ___ der Welt
Ma - chet die To - re weit und die Tü - ren in ___ der Welt

hoch, daß der König der Eh - ren, daß der Kö-nig der Eh - ren ein - zie - he. Machet die
hoch, das der Kö-nig der Eh - ren ein - zie - he. Machet die
hoch, daß der Kö-nig der Eh - ren, daß der Kö-nig ein - zie - he. Machet die
hoch, Machet die

To - re weit und die Tü - ren in der Welt hoch,
To - re weit und die Tü - ren in der Welt hoch, daß der Kö-nig der Eh -
To - re weit und die Tü - ren in der Welt hoch,
daß der
To - re weit und die Tü - ren in der Welt hoch, daß der Kö - nig der

Bearb.: K. S.

Lobt Gott, ihr Christen

Michael Praetorius, 1571–1621

1. Lobt Gott, ihr Christen allzugleich in seinem höchsten Thron, der heut schleußt auf sein Himmelreich und schenkt uns seinen Sohn, und schenkt uns seinen Sohn, und schenkt uns seinen Sohn.

2. Er kommt aus seines Vaters Schoß und wird ein Kindlein klein, es liegt dort elend nackt und bloß in einem Krippelein, in einem Krippelein, in einem Krippelein.

3. Er äußert sich all sein'r Gewalt,
wird niedrig und gering,
und nimmt an sich eins Knechts Gestalt,
der Schöpfer aller Ding.

4. Heut schleußt er wieder auf die Tür
zum schönen Paradeis,
der Cherub steht nicht mehr dafür,
Gott sei Lob, Ehr und Preis.

37

Welt, ade, ich bin dein müde

Johann Rosenmüller, um 1620—1684

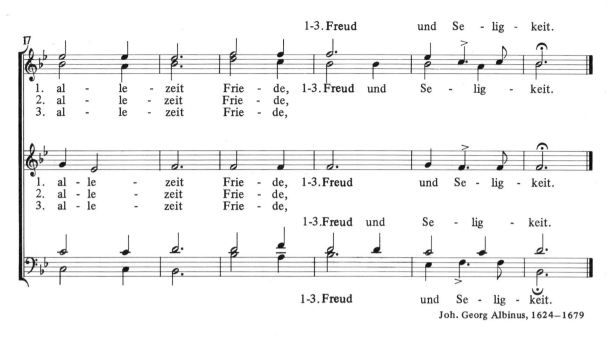

Joh. Georg Albinus, 1624–1679

Liebster Jesu, wir sind hier

Johann Sebastian Bach, 1685–1750

2. Unser Wissen und Verstand
   Ist mit Finsternis umhüllet,
   Wo nicht deines Geistes Hand
   Uns mit hellem Licht erfüllet;
   Gutes denken, tun und dichten
   Mußt du selbst in uns verrichten.

3. O du Glanz der Herrlichkeit,
   Licht von Licht aus Gott geboren,
   Mach uns allesamt bereit,
   Öffne Herzen, Mund und Ohren.
   Unser Bitten, Flehn und Singen
   Laß, Herr Jesu, wohl gelingen.

Text: Tobias Claußnitzer, 1618–1684

Wie schön leuchtet der Morgenstern

Johann Sebastian Bach, 1685—1750

instrumental

1. Wie schön leuch-tet der Mor - gen-stern voll Gnad und Wahr-heit
Du Sohn Da - vids aus Ja - cobs Stamm, mein Kö - nig und mein

von dem Herrn, die sü - ße Wur-zel Jes - se! lieb - lich,
Bräu - ti - gam, hast mir mein Herz be - ses - sen;

freund - lich, schön und herr - lich, groß und ehr - lich,

reich an Ga - ben, hoch und sehr präch-tig er - ha - ben.

4. Von Gott kommt mir ein Freudenschein, wenn du mich mit den Augen dein
gar freundlich tust anblicken.
O Herr Jesu, mein trautes Gut, dein Wort, dein Geist, dein Leib und Blut
mich innerlich erquicken.
Nimm mich freundlich in dein Arme, Herr, erbarme dich in Gnaden;
auf dein Wort komm ich geladen.

Text: Philipp Nicolai, 1556—1608
(Schlußchoral aus der Kantate BWV 172: „Erschallet, ihr Lieder")

Die güldne Sonne voll Freud und Wonne

Johann Georg Ebeling, 1637—1676

1. Die güld-ne Son - ne voll Freud und Won - ne bringt unsern Gren - zen mit ih - rem
2. Mein Au-ge schau - et, was Gott ge - bau - et zu sei - nen Eh - ren und uns zu -
3. A-bend und Mor - gen sind sei - ne Sor - gen; seg-nen und meh - ren, Unglück ver-

1. Glän - zen ein herz-er - quik-kendes, lieb-liches Licht. Mein Haupt und Glie-der, die la-gen dar -
2. leh - ren, wie sein Ver - mö-gen sei mäch-tig und groß und wo die Frommen dann sollen hin -
3. weh - ren sind sei - ne Wer - ke und Ta-ten al - lein. Wenn wir uns le - gen, so ist er zu -

1. nie-der; a - ber nun steh ich, bin munter und fröhlich, schaue den Himmel mit meinem Ge-sicht.
2. kommen, wann sie mit Frieden von hinnen ge - schieden aus die-ser Er - den vergänglichem Schoß.
3. ge-gen; wenn wir auf - ste-hen, so läßt er auf - ge-hen ü-ber uns sei - ner Barmherzigkeit Schein.

Heilige Nacht

Feierlich

Joh. Friedrich Reichardt, 1752–1814

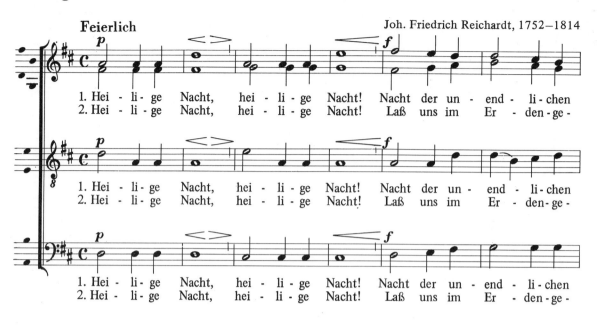

1. Hei - li - ge Nacht, hei - li - ge Nacht! Nacht der un - end - li - chen
2. Hei - li - ge Nacht, hei - li - ge Nacht! Laß uns im Er - den - ge-

1. Lie - be! Daß uns dein Se - gen ver - blie - be, wirst___ du uns
2. drän - ge tö - nen der En - gel Ge - sän - ge, bis___ un - ser

1. wie - der - ge - bracht,} hei - li - ge Nacht, hei - li - ge Nacht, hei - li - ge Nacht!
2. Christ - tag er - wacht,} hei - li - ge Nacht!___

42

Ave verum corpus

Wolfgang Amadeus Mozart, 1756–1791

cru - ce pro ho - mi - ne.

Cu - jus la - tus per - fo - ra - tum

un - da flu - xit et san - gui - ne,___ e - sto

Kyrie (KV 90)

Wolfgang Amadeus Mozart, 1756–1791

Die Könige

Peter Cornelius, 1824—1874

Solo

Drei Kön'ge wan - dern aus Mor - gen - land; ein Stern-lein führt sie zum Jor - dan-strand. In Ju - da fra - gen und for - schen die drei, wo der neu - ge - bo - re - ne Kö - nig sei? Sie wol - len Weih-rauch, Myr-rhen und Gold dem Kin - de spen - den zum Op - fer-sold. Und hell er -

- glän - zet des Ster - nes Schein, zum Stal - le ge - hen die Kön' - ge ein; das Knäb - lein schau - en sie won - nig - lich, an - be - tend nei - gen die Kön' - ge sich; sie brin - gen Weih-rauch, Myr-rhen und Gold zum Op - fer dar dem

Wie schön leuch - tet der Mor - gen - stern voll Gnad und Wahr - heit von dem Herrn, die sü - ße Wur - zel Jes - se.

Du Sohn Da - vids aus Ja - kobs Stamm mein Hei - land und mein Bräu - ti - gam, hast mit mein Herz be -

48

Bearb.: K. S.

Quem pastores laudavere

Carl Loewe, 1796–1869

Anmutig

I. CHOR — **II. CHOR**

1. Quem pa-sto-res lau-da-ve-re, Den die Hir - ten lob-ten seh - re
2. Ad quem re-ges am-bu-la-bant, Kön'-ge ka - men her-ge-rit - ten,
3. Ex-sul-te-mus cum Ma-ri - a, Freut euch al - le mit Ma-ri - a,
4. Chris-to re-gi, De - o na-to, Lobt, ihr Men-schen all-zu-glei-che,

1. qui-bus an-ge-li di-xe-re: und die En - gel noch viel meh - re:
2. au-rum, tus, myr-rham por-ta-bant, Weih-rauch, Myr-rhen, Gold in-mit-ten,
3. in coe-les-ti hie-rar-chi-a, in des Him-mels Hie-rar-chi-a,
4. per Ma-ri-am no-bis da-to, Got-tes Sohn vom Him-mel-rei-che!

1. Ab - sit vo-bis jam ti-me-re, Fürch-tet euch für-baß nicht meh-re,
2. Im-mo-la-bant haec sin-ce-re, fie-len nie-der auf die Knie-e,
3. na-tum pro-mat vo-ce pi-a, da die En-gel sin-gen al-le:
4. me-ri-to re-so-nat ve-re, Uns zum Trost ist er ge-bo-ren,

I. Breiter — **II.** *f*

1. na - tus est rex glo-ri-ae, euch ist ge-bo-ren ein
2. le - o - ni vic-to-ri-ae, op - fer-ten___ dem
3. laus, ho-nor et glo-ri-a, Lob und Ehr___ sei
4. dul - ci cum me-lo-di-a, sin-get ihm___ ein

50

16

1. Kö-nig der Ehr, rex glo-ri - ae, ein Kö-nig der Ehr.
2. Leu'n des Siegs, vic-to-ri - ae, dem Leu'n des Siegs.
3. Gott dem Herrn, et glo-ri - a, sei Gott dem Herrn!
4. lieb-lich Lied, me-lo-di - a! ein lieb-lich Lied!

(Zur Interpretation siehe Arbeitshilfen zu Chor aktuell)

Heilig ist der Herr

Franz Schubert, 1797–1828

Hei - lig, hei - lig, hei - lig, hei - lig ist der Herr! Hei - lig, hei - lig,

11

hei - lig, hei - lig ist nur Er!

1. Er, der nie be-gon - nen, Er, der
2. All-macht, Wunder, Lie - be, al - les

22

1. im-mer war, e - wig ist und wal - tet, sein wird im-mer-dar.
2. rings-um-her! Hei-lig, hei-lig, hei - lig, hei-lig ist der Herr!

(aus der „Deutschen Messe")

Locus iste

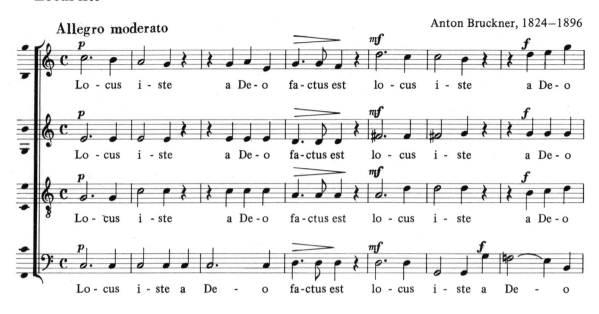

Mit Fried und Freud

Johannes Brahms, 1833–1897

Mit Fried und Freud ich fahr da-hin, in Got-tes Wil-len, ge-

trost ist mir mein Herz und Sinn, sanft und stil - le und still

wie Gott mir ver - hei - ßen hat, der Tod ist mir Schlaf wor - den.

(Schlußchoral aus der Motette „Warum ist das Licht gegeben")

Unser lieben Frauen Traum

Max Reger, 1873–1916

1. Und un - ser lie - ben Frau - en, der trau-met, trau-met ihr ein Traum: wie
2. Und wie-der Baum ein Schat-ten gäb wohl ü - ber al - le, al - le Land: Herr

54

Aus: 8 Geistliche Gesänge op. 138

Adventi ének

Tü →

Wie der Hirsch schreiet nach frischem Wasser

Rasch

Hugo Distler, 1908–1942

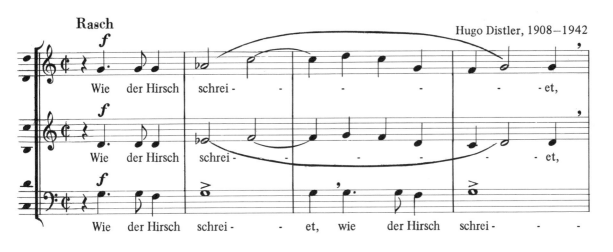

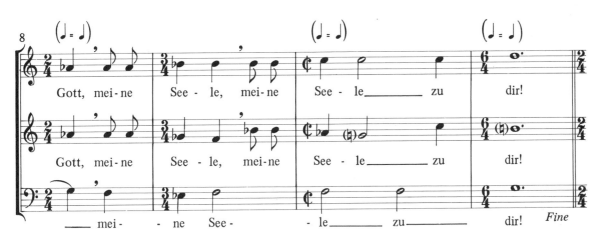

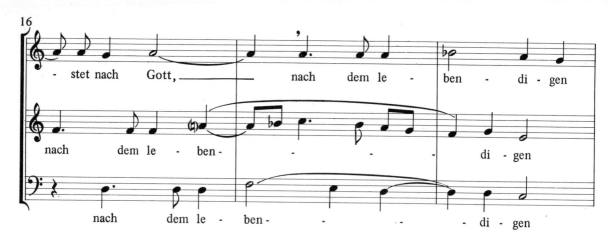

-stet nach Gott, _____ nach dem le - ben - di - gen

nach dem le - ben - - - - di - gen

nach dem le - ben - - - - - di - gen

Gott. Wann wer - de ich da - hin kom - men, wann

Gott. Wann wer - de ich da - hin kom - men, wann

Gott. Wann wer - de ich da - hin

Noch mehr beruhigen

wer - de ich da - hin kom - men,

wer - de ich da - hin kom - men,

kom - men, wann wer - de ich da - hin kom - - -

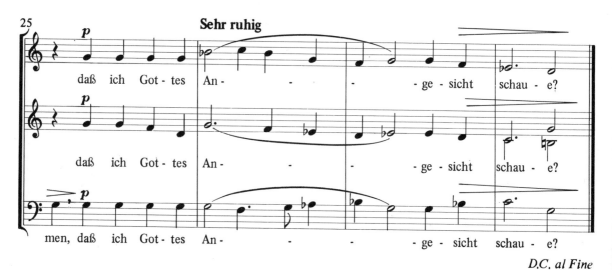

Sehr ruhig

daß ich Got - tes An - - - - ge - sicht schau - e?

daß ich Got - tes An - - - ge - sicht schau - e?

men, daß ich Got - tes An - - - - ge - sicht schau - e?

D.C. al Fine

Text: Psalm 42

El grillo

Josquin Desprez, um 1440–1521

li han can-ta-to un po-co, Van' de fat - to ___ in al-tro lo - co Sem-pre

li han can-ta-to un po-co, Van' de fat - to ___ in al-tro lo - co Sem-pre

li han can-ta-to un po-co, Van' de fat - to ___ in al-tro lo - co Sem-pre

li han can-ta-to un po-co, Van' de fat - to ___ in al-tro lo - co Sem-pre

el gril-lo sta pur sal-do, Quan-do la mag - gior è'l cal-do Al'

el gril-lo sta pur sal-do, Quan-do la mag - gior è'l ___ cal-do Al'

el gril-lo sta pur sal-do, Quan-do la mag - gior è'l cal-do Al'

el gril-lo sta pur sal-do, Quan-do la mag - gior è'l cal-do Al'

hor can - ta sol per a-mo - - - - -re.

hor can - ta sol per a - mo - - - - -re.

hor can - ta sol per a-mo - - - - -re.

hor can - ta sol per a-mo - - - - -re.

Tü →

(D.C. al 𝄐)

Mille regretz

Josquin Desprez, um 1440—1521

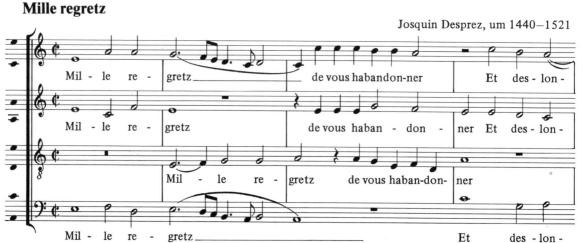

Mil - le re - gretz ___ de vous habandon-ner Et des - lon-

Mil - le re - gretz de vous haban - don - ner Et des - lon-

Mil - le re - gretz de vous haban-don- ner

Mil - le re - gretz ___ Et des - lon-

Aussprache: regretz [rə'grɛts], deslonger [dezlõ:'ʒe], vostre ['vɔstrə], fache ['fa:ʃə], dueil [dy'œj], brief [bri'ɛf]

Tü →

63

Fyez vous y

Clément Janequin, um 1472–1560

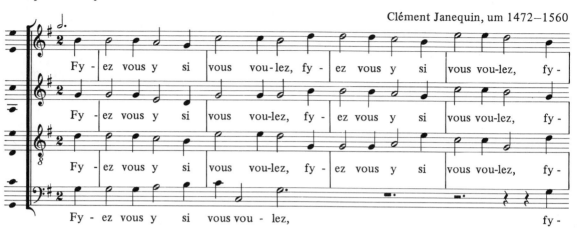

Fy - ez vous y si vous vou-lez, fy - ez vous y si vous vou-lez, fy -

Fy - ez vous y si vous vou-lez, fy - ez vous y si vous vou-lez, fy -

Fy - ez vous y si vous vou-lez, fy - ez vous y si vous vou-lez, fy -

Fy - ez vous y si vous vou - lez, fy -

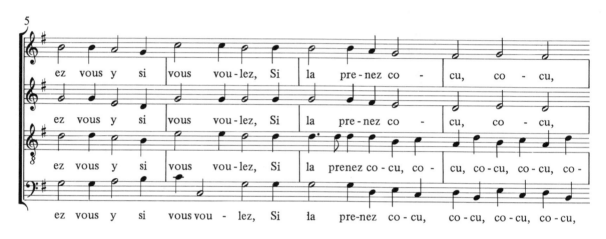

ez vous y si vous vou-lez, Si la pre-nez co - cu, co - cu,

ez vous y si vous vou-lez, Si la pre-nez co - cu, co - cu,

ez vous y si vous vou-lez, Si la prenez co-cu, co - cu, co-cu, co-cu, co-

ez vous y si vous vou - lez, Si la pre-nez co-cu, co-cu, co-cu, co-cu,

co-cu se-rez, si la pre-nez co - cu, co - cu, co-cu, se-rez. Si

co-cu se-rez, si la pre-nez co - cu, co - cu, co-cu, se-rez, Si

cu se - rez, si la prenez co-cu, co - cu, co-cu, co-cu, co - cu se - rez, Si

co-cu se-rez, si la pre-nez co-cu, co-cu, co-cu, co-cu, co-cu se-rez. Si

la pre - nez co - cu se - rez, Je vous di - ray je nen mens point, si

la pre - nez co - cu se-rez, Je vous di - ray je nen mens point, si

la pre - nez co - cu se - rez, Je vous di - ray je nen mens point, si

la pre - nez co - cu se - rez, si

Aussprache: venuste [vəˈhystə], fuste [ˈfystə]

Tü →

Bearb.: B. G. M.

D.C. al ⌢

Es ist ein Schnee gefallen

Caspar Othmayr, 1515–1553

1. Es ist ein Schnee ge - fal - len, wann es ist noch nit Zeit, man wirft mich mit den
2. Mein Haus hat kei - nen Gie - bel, es ist mir wor-den alt; zer - brochen sind die
3. Ach, Lieb, laß dich's er - bar - men, daß ich so e - lend bin, und schleuß mich in dein

c.f. im Tenor

Bal - len, der Weg ist mir ver - schneit, man wirft mich mit den Ballen, der Weg ist mir ver - schneit.
Rie - gel, mein Stüblein ist mir kalt, zer - brochen sind die Riegel,mein Stüblein ist mir kalt.
Ar - me, so fährt der Winter hin, und schleuß mich in dein Arme, so fährt der Winter hin!

Quand mon mary vient de dehors

Orlando di Lasso, 1532–1594

Quand mon mary vient de de - hors, Ma rente est d'es -
Quand mon mary vient de de - hors, Ma rente est d'es -
Quand mon ma- ry vient de de - hors,
Quand mon ma- ry vient de de - hors,

tre battu - e, ma rente est d'es - tre battu - e. Il prend la cuil -
tre battu - e, ma rente est d'es tre battu - e. Il prend la cuil -
Ma rente est d'es- tre battu - e, ma rente est d'estre battu - e.
Ma rente est d'es- tre battu - e, ma rente est d'estre battu - e.

Aussprache: estre ['ɛstrə], teste ['tɛstə]

Tü →

ⓒ by Pelikan-Verlag, Wien

Madonna ma pietà

Orlando di Lasso, 1532–1594

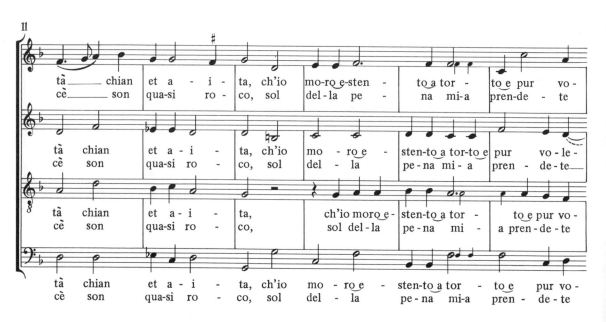

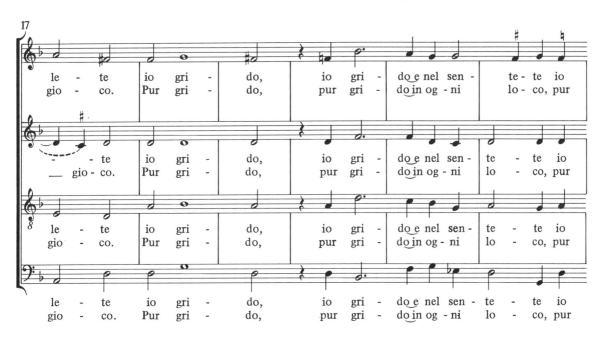

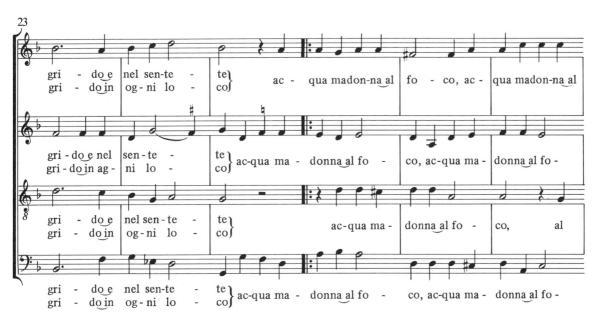

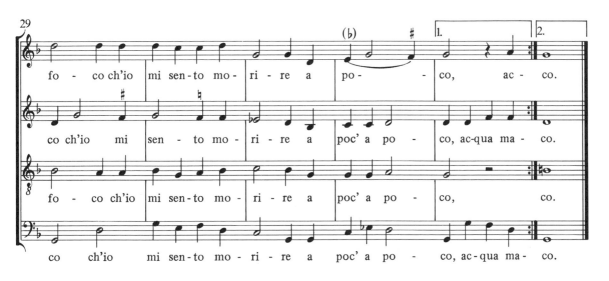

Tü →

Un jour je m'en allais

Giaches de Wert, 1535—1596

ti, ti ti le li ti ti le li ti ti li, ti ti le li ti ti le li li, ti ti le ti.

ti, ti ti le li ti ti le li ti ti li, ti ti le li ti ti le li li, ti ti le ti.

ti, ti ti le li ti ti le li ti ti li, ti ti le li li, ti ti le ti.

Tü → ti ti le li ti ti le li ti ti li, ti ti le li ti ti le li li ti.

M'ha punt' Amor

Giaches de Wert, 1535—1596

M'ha punt' Amor con ve - le - no-so dar - do,

M'ha punt' A - mor con ve - le - no - so dar - do,

M'ha punt' A - mor con ve-le - no-so dar - do, m'ha punt' A -

M'ha punt' A- mor con ve -

M'ha

m'ha punt' Amor con ve-le -no-so dar - do, m'ha punt' A- mor con ve - - le - no-

m'ha punt' A - mor con vele - no-so dar - do, m'ha punt' Amor con ve - le - no - - -

mor con ve - le - no-so dar - do, m'ha punt' Amor con ve - le - no - so

- le - no - - so dar - do, m'ha punt' Amor con ve - le-

punt' Amor con ve - le - no-so dar - do, m'ha punt' A - mor con ve-le -

Il est bel et bon

Passereau, um 1540

Aussprache: estoit [ɛs'twa]

Tü →

Bearb.: B. G. M.

D.C. al Fine

April is in my mistress' face

Fair Phillis I saw

John Farmer, 1565–1605

Tü →

Hark, all ye lovely saints

Thomas Weelkes, 1575–1623

Tü →

Ich brinn und bin entzündt

Hans Leo Hassler, 1564–1612

Ich brinn, ich brinn und bin ent-zündt gen dir, doch nicht aus Lieb, magst

Ich brinn, ich brinn und bin ent-zündt gen dir, doch nicht aus Lieb,

Ich brinn, ich brinn und bin ent-zündt gen dir, doch nicht aus Lieb, magst

Ich brinn, ich brinn und bin entzündt gen dir, doch nicht aus Lieb, magst

glau - ben mir. glau - ben mir, weil du bist al-ler Falsch - heit voll, nicht wert, daß

magst glauben mir. magst glauben mir, weil du bist al-ler Falschheit voll, nicht wert, daß

glau - ben mir. glau - ben mir, weil du bist al-ler Falschheit voll, nicht wert

glau - ben mir. glau - ben mir, weil du bist al-ler Falsch - heit voll, nicht wert, daß

ich dich lie - ben soll. Dein falsch, dein falsch, bös, un-ge-treu - es

ich dich lie - ben soll. Dein falsch, dein falsch, bös, un-ge-treu - es

daß ich dich lie - ben soll. Dein falsch, dein falsch, bös, un-ge-treu - es

ich dich lie - ben soll. Dein falsch, dein falsch, bös, un-ge-treu - es

Herz hat mir ver-jagt all Lie - bes-scherz. Brinn drum nicht mehr,

Herz hat mir ver-jagt, hat mir ver-jagt all Lie - bes - scherz. Brinn drum nicht mehr

Herz hat mir ver-jagt, hat mir ver-jagt all Lie - bes - scherz. Brinn drum nicht mehr,

Herz hat mir ver-jagt all Lie - bes-scherz. Brinn drum nicht mehr,

Brinn und zürne nur immerfort (Erwiderung)

Bearb.: B. G. M.

Jungfrau, dein schön Gestalt

Hans Leo Hassler, 1564–1612

1. Jung-frau, dein schön Ge-stalt erfreut mich sehr, je länger je mehr, ohn' dich kann ich nit
2. Jung-frau, dein stol-zer Sinn, dein frischer Mut, dein a-de-lig Blut sind all mein Glück, mein

le - ben, dein ei - gen will ich sein, hab dir zum Pfand die Treu-e mein.
Le - ben, wie könnts auch anders sein, mein Herze ist voll Sonnen - schein,

Ich bitt', nit von mir weich, dein Mündlein zu mir reich, er - gib dich mir, wie
seit mich in gu - ter Stund ge - küßt dein ro - ter Mund, seit du dich mir, wie

ich mich dir zu ei - gen hab er - ge - ben, da - mit wir beid' mö - gen in Freud' ohn'
ich mich dir zu ei - gen hast er - ge - ben, da - mit wir beid' mö - gen in Freud' ohn'

al - les Trau-ren le - ben, ohn' al - les Trau-ren le - ben. Ich bin dein,
al - les Trau-ren le - ben, ohn' al - les Trau-ren le - ben. Bleib du mein

du bist mein, nichts soll uns wi - der - stre - ben im Le - ben, merk e - - ben.
wie ich dein, dann kann kein schönres Le - bens es ge - ben wie e - - ben.

Bearb.: B. G. M.

Mein Lieb will mit mir kriegen

Hans Leo Hassler, 1564—1612

Mein Lieb will mit mir kriegen, hat sich gerüst' zur Schlacht, läßt

Mein Lieb will mit mir kriegen, hat sich gerüst zur Schlacht,

ih-re Fahnen fliegen, trutzt auf ihr große Macht: ver-

läßt ih-re Fahnen fliegen, trutzt auf ihr große Macht:

meint, ich soll sie fliehen, hab Liebskrieg ver-sucht; gen ihr will ich auch zie-hen, sie jagen gschwind in

sie jagen gschwind in

gen ihr will ich auch ziehen, sie jagen gschwind in

sie jagen gschwind in

d'Flucht. d'Flucht. Frisch her, frisch her, tu tapfer schießen mit deim vergif - ten

d'Flucht d'Flucht. Frisch her, tu tapfer schießen

Pfeil, dein Hochmut will ich büßen gar bald in schneller Eil.

mit deim ver-gif - ten Pfeil, dein Hochmut will ich

Di-ri-di-ri di-ri don, di-ri di-ri di-ri don. Schieß

büßen gar bald in schneller Eil. Di-ri di-ri di-ri don, di-ri di-ri di-ri

71

- sen, töd - lich ver-wun-det hart.

- sen, töd-lich ver-wun-det hart.

sen, töd-lich ver-wun-det hart.

Oh Lieb, ich tu mich ge-ben dir auf die Gnade

79

dein G'fangner will ich

Oh Lieb, ich tu mich geben dir auf die Gnade dein, ich bitt, schenk mir das Leben, dein G'fangner will ich

dein G'fangner will ich

dein,

ich bitt, schenk mir das Leben, dein G'fangner will ich

87

sein, ich bitt, schenk mir das Leben, dein G'fangner will ich sein, dein G'fangner will ich sein.

dein G'fangner will ich sein,

sein, ich bitt, schenk mir das Leben, dein G'fangner will ich sein, dein G'fangner will ich sein.

dein G'fangner will ich sein,

Bearb.: B. G. M.

Drei schöne Dinge fein

Daniel Friderici, 1584—1638

Bearb.: B. G. M.

Capricciata

Adriano Banchieri, 1567–1634

No - bi-li spet-ta - to - ri, no - bi-li spet-ta - to - ri, u - dret' hor

No - bi-li spet-ta - to - ri, no - bi-li spet-ta - to - ri,

No - bi-li spet-ta - to - ri, u -

ho - ra quat-tro bel - li hu - mo - ri. bel - li hu - mo -

u - dret' hor ho - ra quattro belli hu-mo - ri. ho - ra quattro belli humo -

dret' hor ho - ra quat-tro bel - li hu - mo - ri. quat-tro bel - li hu - mo -

ri: Un ca - ne, un cuc - co, un chiù per spas -

ri: Un ca - ne, un cuc - co, un chiù per spas -

ri: Un gat - to, un chiù per spas -

so, far contrappun-to a men-te, far contrap-pun-to a men-te,

so, far contrappunto a men-te, far contrappunto a men-te,

so, far contrappun-to a men-te, far contrappun-to a men-te, far contrappunto a

far contrappunto a mente so-pra-un bas - so. Un ca - sopra-un bas - so,

far contrappunto a men-te sopra-un bas - so. Un ca - bas - so.

men-te sopra-un bas - so. - so.

Tü →

attacca

91

Contrappunto bestiale alla mente

Adriano Banchieri, 1567–1634

Fa la la la la la la la la, la la la la la, fa la la la la la

Fa la la la la la la la la la la la la la la, fa la la la la la

Fa la la la la la la la la la la la la la la, fa la la la la la

Fa la la la la la la la la la, fa la la la la la

Fa la la la la la la la la la, fa la la la la la

la la la la la la la la, fa la la la la la la la la la

la la la la la la la la la la la la la la la

la la la la la la la la, fa la la la la la la la la la

la la la la, fa la la la la la la la la la

la la la la, fa la la la la la la la la la

Fine

Cucco

Cu - cù cu-cù cu-cù

Chiù

Chiù chiù chiù

Gatto

Mi-au mi-au mi-au mi-au mi - au mi-a-u mi-

Cane

Bau bau bau bau bau bau bau bau

Base alla contrap.

Nul - la fi - des go - bis si -

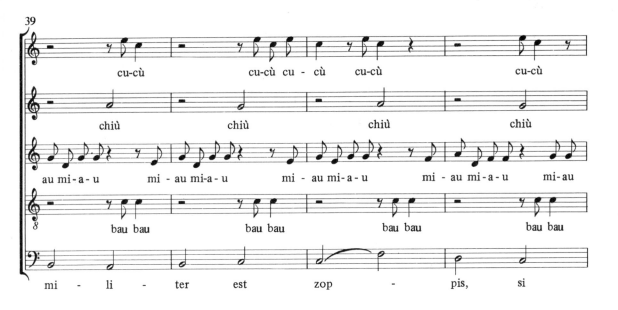

D.C. al Fine

Tü →

Der Floh

Erasmus Widmann, 1572–1634

1. Es ist ein Tier-lein auf der Welt, hält sich gar gern zu'n Wei - ben.
   Wie-wohl es ih - nen nicht ge - fällt, kann's doch kein Mensch ver - trei - ben.
2. Die Wei-ber ha - ben gro - ße Pein von Flö-hen ü - ber d'Ma - ßen.
   Bei ih-nen findt man groß und klein, kein Ruh' sie ih - nen las - sen.
3. Wenn d'Weiber in die Kir - che gehn o - der zur Ga-stung wöl - len,
   so tun. sie erst am Fen - ster stehn und fan-gen manchen Gsel - len.

Es beißt und sticht, es hilft auch nicht, wenn man sich fest tut rei - ben.
Es ist ein Floh, dess' sein nicht froh die jung und al - ten Wei -
Im Hemd und Kleid tun's ih - nen leid, im Haus und auf der Gas - sen,
im Pelz und Rock sind manches Schock und pla-gen's auf der Stras -
Mit gro-ßem Fleiß auf man-che Weis' den Flö-hen sie nach-stel - len,
und wenn sie's dann er - ha-schet han, so tun sie's weid - lich knel -

ben.
sen.
len.

Ein Floh, ein Floh, ein Floh, ein Floh, ein Floh, ein Floh, ein Floh, ein Floh,

der beißt und sticht, der beißt und sticht, er zwickt und pickt, er zwickt und pickt, er stupst und

hupft, er stupst und hupft, er kreucht und weicht, er kreucht und weicht, er kit - zelt und

bit-zelt, er kit-zelt und bitzelt, er krabbelt und zappelt, er krab-belt und zap-pelt: die

Maid-lein und die Weib-lein nicht si - cher vor ihm blei - - ben.

Fuga à 3

Kanon in der Quinte (mit Tenor 2 Töne tiefer)

Michael Praetorius, 1571—1621

Nu, nu, nu, nu, nu schall und sih zu, _____

Nu, nu, nu, nu, nu schall und sih zu, _____ wat en Gsang is

Nu, nu, nu, nu, nu schall und sih zu, _____ wat en Gsang is dat _____

wat en Gsang is dat _____ und wie kan dat sien, drey Stimm in

dat _____ und wie kan dat sien, drey Stimm in ein, singt

und wie kan dat sien, drey Stimm in ein, singt al - le nach

ein, singt al - le nach mir, _____ fa di don di-ri don, don, don,

al - le nach mir, _____ fa di don di-ri don, don, don, last uns fre-wen und

mir, _____ fa di don di-ri don, don, don, last uns frewen und frö-lich seyn,

last uns frewen und frö-lich seyn, la - ri don, di-ri don, don, don.

frö-lich seyn, la - ri don, di-ri don, don, don. Nu, nu, nu,

la ri don, di-ri don, don, don. Nu, nu, nu, nu, nu

Sie ist mir lieb

Michael Praetorius, 1571–1621

Sie ist mir lieb die wer - te Magd und kann ihr nicht ver -
Lob, Ehr und Zucht von ihr man sagt, sie hat mein Herz be -

ges - - - - sen, ich bin ihr hold, und wenn ich
ses - - - - sen,

sollt groß Un - glück han, da liegt nichts an, sie will

mich des er - get - - zen mit ih - - rer Lieb und Treu
mich des er - get - zen mit ih - rer Lieb und Treu an

96

25

an mir, die sie zu mir will set - zen und tun all mein Be - gier.

mir, _____ die sie zu mir will set - zen und tun all mein Be - gier.

an mir, die sie zu mir will set - zen und tun all mein Be - gier. _____

an mir, die sie zu mir will set - zen und tun all mein Be - gier.

2. Sie trägt von Gold so rein ein Kron,
   da leuchten drin zwölf Sterne;
   ihr Kleid ist wie die Sonne schon,
   das glänzet hell von ferne.
   Und auf dem Mond ihr Füße stan;
   sie ist die Braut, dem Herrn vertraut,
   ihr ist weh und muß gebären
   ein schönes Kind, einen edlen Sohn
   und aller Welt ein Herren,
   dem sie ist untertan.

3. Das tut dem alten Drachen Zorn
   und will das Kind verschlingen,
   sein Toben ist doch ganz verlorn,
   es kann ihm nicht gelingen.
   Das Kind ist doch gen Himmel hoch
   genommen hin! Und lässet ihn
   auf Erden fast sehr wüten.
   Die Mutter muß gar sein allein,
   doch will sie Gott behüten
   und der recht Vater sein.

Text: Martin Luther

There was an old man in a tree

Allegro ♩. = ca 96

Mátyás Seiber, 1905–1960

There was, there was, there was,

There was, there was, there was, there

5

There was an old man in a tree, in a

There was an old man in a

there was, there was, there was, there was, there

was, there was, there was, there was, there was, there

Dein Herzlein mild

Johannes Brahms, 1833–1897
op. 62, Nr. 4

13

ü - ber Nacht dir Tau ins Herz ge - gos - sen, und morgens dann, man

ü - ber Nacht dir Tau ins Herz ge - gos - sen, und morgens dann, man

ü - ber Nacht dir Tau ins Herz ge - gos - sen, und morgens dann, man

ü - ber Nacht dir Tau ins Herz ge - gos - sen, und morgens dann, man

17

poco f

sieht dirs an, das Knösp - lein ist er - schlos - sen, das Knösp - lein, das Knösp -lein

poco f

sieht dirs an, das Knösp - lein ist er - schlos - sen, das Knösp - lein, das Knösp-lein

poco f

sieht dirs an, das Knösp - lein ist er - schlos-sen, das Knösp - lein

poco f

sieht dirs an, das Knösp - lein ist er - schlos-sen, das Knösp - lein

21

p   *mf*   *p*

ist er-schlos - sen, ist er - schlos - sen, ist er - schlos-sen.

p   *mf*   *p*

ist er-schlos - sen, ist er-schlos - sen, das Knösplein ist er - schlos-sen.

p   *mf*   *p*

ist er-schlos - sen, ist er-schlos - sen, das Knösplein ist er - schlos-sen.

p   *mf*   *p*

ist er-schlos - sen, ist er-schlos - sen, das Knösplein ist er - schlos-sen.

Aus dem Jungbrunnen von Paul Heyse

Steh auf, Nordwind

Harald Genzmer, *1909

102

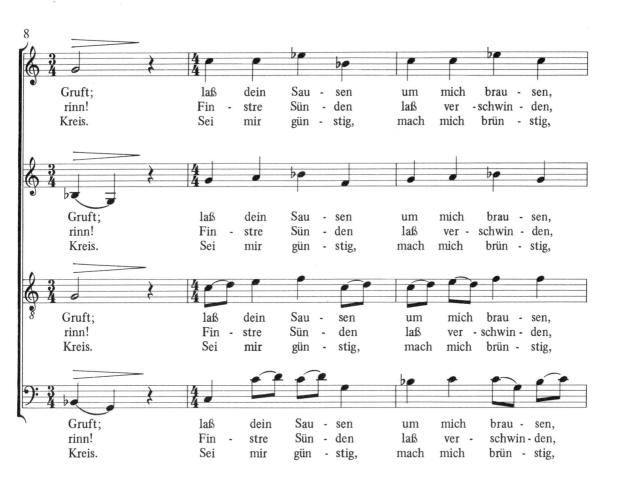

Aus: Des Knaben Wunderhorn

Der schwarze Mond

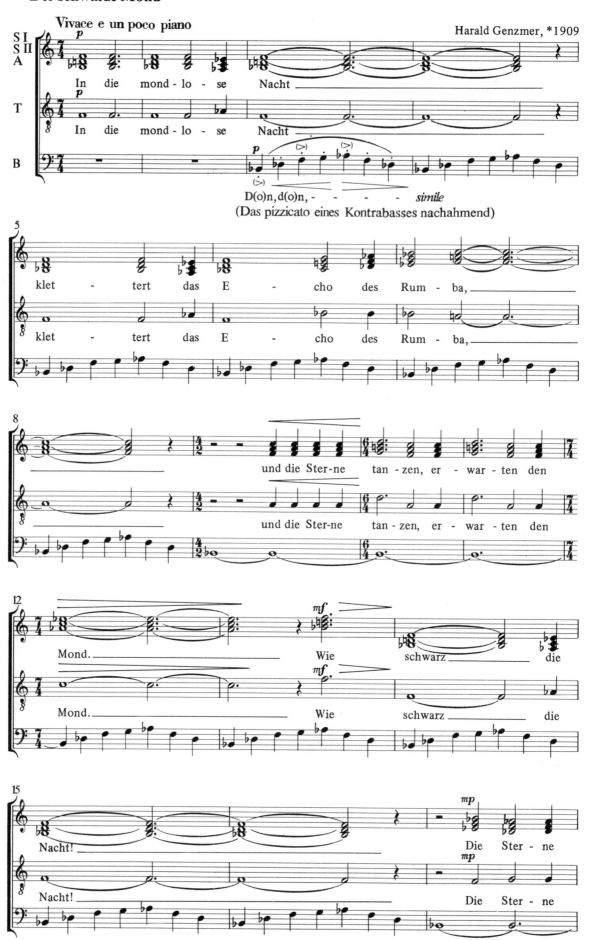

seh - nen sich so ...

seh - nen sich so ...

A - ber der Mond bleibt aus, hat sei - nen Glanz ver -

A - ber der Mond bleibt aus, hat sei - nen Glanz ver -

lo - ren, als der Rum - ba em -

lo - ren, als der Rum - ba em -

por - stieg in den Schoß der Nacht.

por - stieg in den Schoß der Nacht.

Schwarz, schwarz ist er ge - wor - -

Schwarz, schwarz ist er ge - wor - -

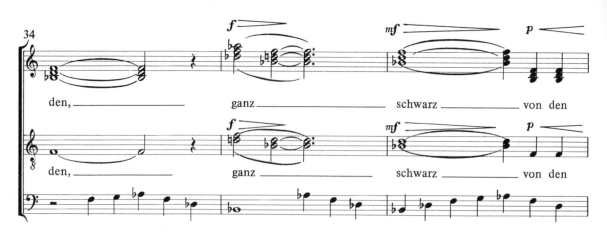

den, _____ ganz _____ schwarz _____ von den

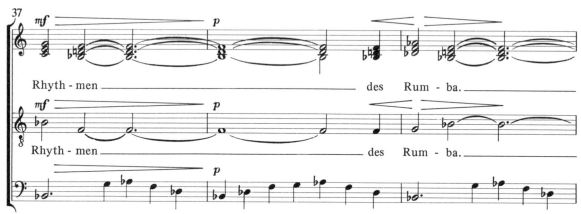

Rhyth - men _____ des Rum - ba.

Rhyth - men _____ des Rum - ba.

d(o)n _____

Text: Vicente Gomez Kemp, Textübertragung: Albert Theile
(Nr. 2 aus „Südamerikanische Gesänge")

Canzone

Vigoroso (♩ = 92)

Wilhelm Killmayer, *1927

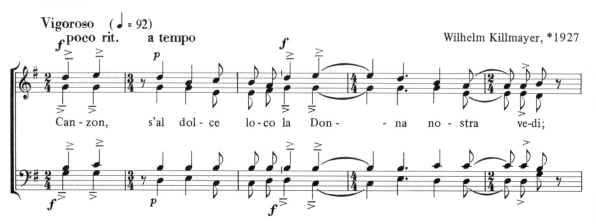

Can - zon, s'al dol - ce lo - co la Don - na no - stra ve - di;

Cre - do, ben che tu cre-di ch'el - la ___ ti por-ge - rà la bel-la ma-no; ch'el-la ti por-ge-rà la ma - no; ond' ___ io son si lon - ta-no. Non la toc-car: ma re-ve-ren-te a pie - di le di' ch'io sa-rò là to-sto ch'io pos-sa, o spir - to ig - nu - do, od uom' di car - ne e d'os - sa.

Tü →   D.C.

Text: Petrarca 1304–1374

Verger

Gay ($\quad\downarrow$ = 100 - 108)

Paul Hindemith, 1895–1963

Ja - mais la ter - re n'est plus ré - el - le que dans tes bran - ches, ô ver - ger blond, Ni plus flot - tan - te que dans la den - tel - le que font les om - bres sur le ga - zon. Là se ren - con - tre ce qui nous res - te, ce qui pè - se et ce qui nour-rit,

Ja - mais la ter - re n'est plus ré - el - le que dans tes branches, ô ver-ger blond, Ni plus flot - tan - te que dans la dentelle, que dans la dentel - le que font les om - bres sur le ga - zon. Là se ren-con-tre ce qui nous res- te, ce qui nous res- te et ce qui nour-rit,

Ja - mais la ter-re n'est plus ré - el - le que dans tes branches, ô ver-ger blond, Ni plus flot - tan-te que dans la dentelle, que dans la dentel -le que font les om-bres sur le ga-zon. Là se ren- con - tre ce qui nous res - te, ce qui pè - se et ce qui nour-

Ja - mais la ter-re n'est plus ré - el - le que dans tes branches, ô ver-ger blond, Ni plus flot - tan-te que dans la dentelle, que font les om-bres sur le ga-zon. Là se ren-con-tre ce qui nous res-te, ce qui nous res- te et ce qui nour-rit,

Text: Rainer Maria Rilke, 1875—1926
(Nr. 6 aus „Six Chansons")

Ich brach drei dürre Reiselein

Gemächliche Viertel, ja nicht zu langsam (bei Taktwechsel ♩=♩)   Hugo Distler, 1908–1942

1. Ich brach drei dür - re Rei - se - lein vom har - ten Ha - sel - strauch _____ und tat sie in ein Ton - krüg - lein, warm war das Was - ser auch.

2. Das war am Tag Sankt Bar - ba - ra, da ich die Reis - lein brach, _____ und als es nah an Weih - nacht war, da ward das Wun - der wach.

3. Da blüh - ten bald zwei Zwei - ge - lein, und in der heil - gen Nacht, _____ brach auf das drit - te Rei - se - lein und hat das Herz ent - facht.

4. Ich brach drei dür - re Rei - se - lein vom har - ten Ha - sel - strauch, _____ Gott läßt sie grü - nen und ge - deihn, wie un - ser Le - ben auch.

*) jeden der 4 Verse gemäß seinem jeweiligen Inhalt dynamisch-agogisch selbständig gestalten!   Text: Heinz Grunow

**) nicht $\frac{6}{8}$!

***) den „Abgesang" stets ein klein wenig verhaltener!

© by Bärenreiter-Verlag, Kassel und Basel

Der Schnee zerrinnt

Franz Schubert, 1797–1828

1. Der Schnee zer-rinnt, der Mai be-ginnt, und Vo - gel-schall tönt ü - ber-all.

2. Wer weiß, wie bald die Glok - ke schallt, wer weiß, wie bald die Glok - ke schallt!

3. Drum wer - det froh, Gott will es so; ge - nießt der Zeit, die Gott ver-leiht.

Schein uns, du liebe Sonne

Volkslied, 16. Jhdt.
Satz: Arnold Schönberg, 1874–1951

Wie kommt's, dass du so traurig bist

Satz: Max Reger, 1873–1916

1. Wie kommt's, dass du so trau-rig bist und auch nicht ein-mal lachst?
Ich seh' dir's an den Au-gen an, dass du ge-wei-net hast.

2. Und wenn ich auch ge-wei-net hab', was geht's denn An-dre an?
Tenor hervortretend
Hat mir mein Schatz was Leids ge-than, wenn ich's nur tra-gen kann.

3. Und ob du gleich ein Jä-ger bist und trägst ein grü-nes Kleid,
so lieb' ich doch mein Schatz al-lein und bleib' ihm stets ge-treu.

114

4. Gut Nacht, du her-zig's En-gels-kind! jetzt geh' ich in den Wald,

da ver-gess' ich all mein Trau-rig-keit und leb', wie mir's ge-fallt.

Der Mond ist aufgegangen

Weise: J.A.P. Schulz 1790
Satz: Adolf Seifert, 1902–1945

1. Der Mond ist auf-ge-gan-gen, die gold-nen Stern-lein pran-gen am

Him-mel hell und klar;___ der Wald steht schwarz und schwei-get, und

aus den Wie-sen stei-get der wei-ße Ne-bel wun-der-bar.

2. Wie ist die Welt so stille
und in der Dämmrung Hülle
so traulich und so hold!
Als eine stille Kammer,
wo ihr des Tages Jammer
verschlafen und vergessen sollt.

3. Wir stolze Menschenkinder
sind eitel arme Sünder
und wissen gar nicht viel;
wir spinnen Luftgespinste
und suchen viele Künste
und kommen weiter von dem Ziel.

4. Gott, laß dein Heil uns schauen,
auf nichts Vergänglichs trauen,
nicht Eitelheit uns freun!
Laß uns einfältig werden
und vor dir hier auf Erden
wie Kinder fromm und fröhlich sein!

5. So legt euch denn, ihr Brüder,
in Gottes Namen nieder!
Kalt ist der Abendhauch.
Verschon uns, Gott, mit Strafen
und laß uns ruhig schlafen
und unsern kranken Nachbar auch! (gekürzt)

Text: Matthias Claudius, 1746–1815

Wach auf, meins Herzens Schöne

Weise: Joh. Fr. Reichardt
Satz: Walter Rein, *1893

Zart im Ausdruck, flüssig

S I / S II:
1. Ich hör ein süß Ge - tö - ne von
2. Die kühlen Winde we - hen, die
3. Die Wolken tun sich fär - ben aus

T I / T II:
1. Wach auf, meins Herzens Schöne, Herzal-ler-liebste mein!
2. Ich hör die Hahnen krä - hen und spür den Tag da-bei.
3. Der Himmel tut sich fär - ben aus weißer Farb in Blau,

klein Wald-vö-ge - lein. Die hör ich so lieb-lich sin - gen, ich
Stern-lein leuchten frei; singt uns Frau Nach-ti - gal - le, singt
schwarzer Frab in Grau; die Mor-gen-röt tut her-schlei - chen, wach

1. Die hör ich so lieb-lich sin - gen,
2. singt uns Frau Nach-ti - gal - le,
3. die Mor-gen-röt tut her - schlei - chen,

1. Die hör ich so lieblich sin - gen,
2. singt uns Frau Nach-ti - gal - le,
3. die Mor - gen-röt tut her-schlei - chen,

1. die hör ich so lieb-lich sin - gen,
2. singt uns Frau Nach-ti - gal - le,
3. die Mor - genröt tut her - schlei - chen,

verbreitern

mein, ich säh des Ta - ges Schein vom O - ri - ent her - drin - gen.
uns ein sü - ße Me - lo-dei; sie neut den Tag mit Schal - le.
auf, mein Lieb, und mach mich frei; die Nacht will uns ent - wei - chen.

1. Ich mein, ich säh des Ta - ges Schein vom O - ri - ent her - drin - gen.
2. singt uns ein sü - ße Me - lo-dei, sie neut den Tag mit Schal - le.
3. wach auf, mein Lieb, und mach mich frei, die Nacht will uns ent - wei - chen.

Der Jäger längs dem Weiher ging

Aus Westfalen und Hessen
Satz: Fritz Dietrich, 1905–1945

2. Was raschelt in dem Grase dort?
   Was flüstert leise fort und fort?

3. Das muß fürwahr ein Kobold sein!
   Hat Augen wie Karfunkelstein!

4. Der Jäger furchtsam um sich schaut.
   „Jetzt will ichs wagen, – o mir graut!"

5. „O Jäger, laß die Büchse ruhn,
   Das Tier könnt dir ein Leides tun!"

6. Der Jäger lief zum Wald hinaus,
   Verkroch sich flink im Jägerhaus.

7. Das Häschen spielt im Mondenschein,
   Ihm leuchten froh die Äugelein.

Freu' dich Erd' und Sternenzelt

Altböhmisches Weihnachtslied
Satz: Jakob Christ, *1895

1. Freu' dich Erd' und Ster-nen-zelt, Got-tes Sohn kam in die Welt. ward er heut' ge-bo-ren, ward er heut' ge-bo-ren.
2. Seht, der schön-sten Ro-sen Flor, Al-le-lu-ja! Sprießt aus Jes-ses Zweig em-por. Al-le-lu-ja! Uns zum Heil er-ko-ren,
3. Er, das mensch-ge-word-ne Wort, Je-sus Chri-stus un-ser Hort.

Es blühen die Maien

Volkslied aus Oberbayern
Satz: Franz Biebl, *1906

Leicht fließend

1. Es blü-hen die Mai-en bei kal-ter Win-ters-zeit
und al-les ist voll Freu-den auf uns-rer Schä-fers-weid; ja
2. Heut ist uns ge-bo-ren der Hei-land die-ser Welt,
und Gott ist Mensch wor-den, wie je-ne Stimm' ver-meld't. Es

1. al-les ist in schön-ster Blüh', die Sonn', wie heiter scheinet sie! Es sin-get und klin-get mit
2. singt die schöne Nachti-gall, ich seh vom Himmel ei-nen Strahl von Fer-ne zur Er-de. Es

1. Flau-ten-bla-sen, Harp-fen-schlagen und ich mag nit alls der-sa-gen, was sich zu hat tragn.
2. steigt die Sonn' vom Himmelssaal und nei-get sich auf ei-nen Stall; die En-gel sin-gen all.

Il est né, le divin Enfant

Altfranzösisches Weihnachtslied
Satz: Kurt Suttner

Il est né, le di - vin En - fant; jou - ez, haut-bois, ré - son - nez mu - set - tes,
Got - tes Sohn ist ge - bo - ren heut; klin - get O - bo - en und spielt Schal - mei - en,

dm, dm, dm, dm, dm, dm, dm, dm, dm, dm,

Fine

Il est né, le di - vin En - fant; chan - tons tous son a - vè - ne - ment.
Got - tes Sohn ist ge - bo - ren heut; sei - ne An - kunft die Welt er - freut.

dm, dm, dm, dm, dm, dm, dm, dm.

Soli (SSA oder TTB)

1. De - puis plus de qua - tre mille ans, nous le pro - met - taient les pro - phè - tes
2. Ah! qu'il est beau! qu'il est char - mant! Ah! que ses grâ - ces sont par - fai - tes!
3. O Jé - sus! O Roi tout pui - ssant! Tout pe - tit en - fant que vous ê - tes!
1. Mehr als vier - tau - send Jah - re schon, ga - ben uns die Pro - phe - ten Kun - de.

De - puis plus de qua - tre mille ans, nous at - ten - dions cet heu - reux temps.
Ah! qu'il est beau! qu'il est char - mant! Qu'il est doux, ce di - vin En - fant!
O Jé - sus! O Roi tout pui - ssant! Ré - gnez sur nous en - tiè - re - ment.
Mehr als vier - tau - send Jah - re schon war - ten wir auf den Got - tes - sohn.

Da Capo

Tü → Singbare Übersetzung der 2. und 3. Strophe siehe S. 206

Ah! Dis-moi donc, bergère

Volkslied aus der Touraine
Satz: Marcel Corneloup, *1928

1. Combien as - tu mou - tons?
2. A qui sont ces moi- tons?
3. L'é - tang est - il pro - fond?
4. N'as- tu pas peur du loup?

Il faut que j'les comp - tions.
A ceux qui les gar - dions.
Il descend jusqu' au fond.
Pas plus du loup que d'vous.

Tű →

I saw three ships

Volkslied aus England
Satz: J.F. Doppelbauer, *1918

1. I saw three ships come sai - ling in on Christ-mas Day, on Christ-mas Day,
I saw three ships come sai - ling in on Christ-mas Day in the mor - ning.

2. And what was in those ships all three
on Christmas Day ...
3. The virgin Mary and Christ were there
on Christmas Day ...
4. Pray, wither sailed these ships all three
on Christmas Day ...
5. O, they sailed into Bethlehem
on Christmas Day ...

6. And all the bells in earth shall ring
on Christmas Day ...
7. And all the Angels in Heaven shall sing
on Christmas Day ...
8. Then let us all rejoice amain
on Christmas Day ...
9. For joy, our saviour Christ was born
on Christmas Day ...

Éveille-Toi, Renaud

Volkslied aus den Ardennen
Satz: Étienne Daniel

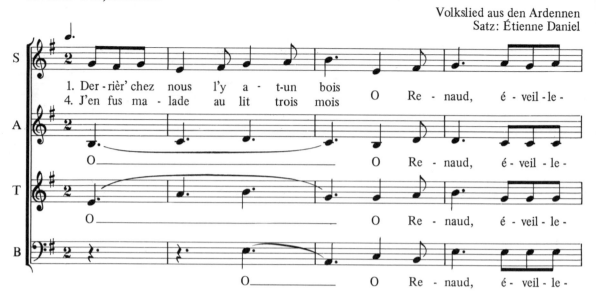

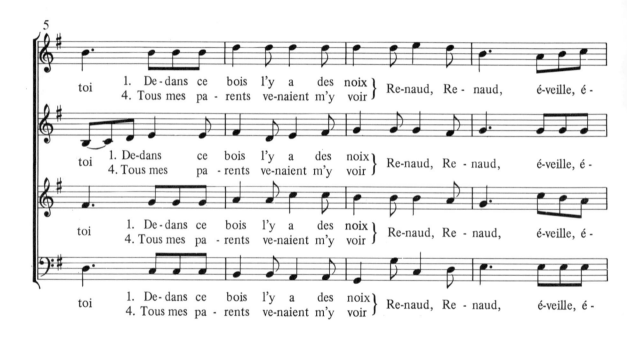

2. Femmes: De-dans ce bois l'y a des noix   J'en cueil-lis
3. Hommes: J'en cueil-lis deux, j'en man-gis trois   O Re-naud, é-veil-le-toi   J'en fus ma-
5. Femmes: Tous mes pa-rents ve-naient m'y voir.   Mon a-mie

O Re-naud, é-veil-le-toi J'en fus ma-
Mon a-mie

2. deux j'en man-gis trois
3. lade au lit trois mois } Renaud, Renaud. éveille, é-veil-le, O Re-naud, é-veil-le-toi.
5. seu-le ne vint pas

2. deux j'en man-gis trois
3. lade au lit trois mois } Renaud, Renaud, éveille, é-veil-le, O Re-naud, é-veil-le-toi, Renaud.
5. seu-le ne vint pas

subito **p** [plus lent]

S: Je l'a-per-çois ve-nir là-

A: Je l'a-per-çois ve-nir là-

T: 6. Mon a-mie seu-le ne vint pas   Je l'a-per-çois ve-nir là-

B: **f**   **ff**   **p** [plus lent]
O Re-naud, é-veil-le-toi   Je l'aper-çois là-

rall. - - -   **p**
bas, Renaud, Re-naud, éveille, é-veil-le, O Re-naud, é-veil-le-toi.

rall. - - -   **p**
bas, Re-naud, Re-naud, éveille é-veil-le, O Re-naud, é-veil-le-toi.

rall.   **p**
bas, Renaud, Re-naud, é-veil-le é-veil-le, O Re-naud, é-veil-le-toi, é-veil-le-toi.

rall. - - -   **p**
Tú→ bas, Renaud, Re-naud, éveille é-veil-le, O Re-naud, é-veil-le-toi.

Drink to me only with thine eyes

Satz: H. Elliot Button

Text: Ben Jonson, 1572—1637

Tü→

124

Gliding sails

Isländisches Volkslied
Satz: Paul E. Ruppel

erst bei der Wiederholung

erst bei der Wiederholung (1. Mal mit Tenor!)

S

Gli - ding sails sweep on - ward through skies as clear as crystal,
Se - gel strei - chen hin, durch den blau - en, hei - tern Himmel,

A

Gli - ding sails sweep through the heavens,
Se - gel strei - chen durch den Himmel

Hauptstimme

T

Gli - ding sails sweep on - ward through skies as clear as crystal,
Se - gel strei - chen hin, durch den blau - en, hei - tern Himmel

B

Gli - ding sails sweep through the heavens,
Se - gel strei - chen durch den Himmel

Fine

·drawing me to you, who are e - verything I long for.
Liebste, nur zu dir zieh ich durch die wei - te Welt hin.

draw - ing me to you.
Lieb - ste zu dir hin.

drawing me to you, who are e - very-thing I long for.
Liebste, nur zu dir zieh ich durch die wei - te Welt hin.

draw - ing me to you.
Lieb - ste zu dir hin.

All that's deep with-in me, I find in you re-flec-ted;
Was ich tief er-seh-ne, hüllst du in ei-nen Schlei-er,

Only your lips de-li-ver my hap-pi-ness or sor-row.
Liebste, von dei-nen Lip-pen kommt all mein Glück und mein Schmerz.

da capo

da capo

Drömmarna

Andantino
p dolce

Jean Sibelius, 1865–1957

Släk-te-na fö-das, och släk-te-na gå, släk-te-na gli-da som ström-mar,

Släk-ten gå   gli-da som ström-mar,

126

Aussprache: ch = [k], å = [ɔ], ei = [ej], sk = [∫], hur = [hyr]

Tŭ→

Text: Jonatan Reuter

ⓒ by Musik Fazer, Helsinki

127

La cucaracha

Volkslied aus Mexiko
Satz: Max Frey

(dm, dm ... oder instrumental)

La cu-ca - ra - cha, la cu-ca - ra - cha, ya no quiere ca-mi-

nar, por-que no tie - ne, por-que le fal - ta, di-ne-ro pa-ra ga-

1. star. La cu-ca - star. O - lé! star.

2. 1. U- na cu-ca-ra-cha pin - ta
2. Todas las muchachas tie - nen

1. U - na cu- ca - ra- cha
2. To- das las muchachas

Le di-jo a u-na colo - ra - da: vá - mo- nos pa-ra mi tier - ra,
en los o-jos dos es- trel - las, pe - ro las me-ji- ca - ni - tas

pin - ta Le di-jo a u-na colo - ra da vá - mo-nos pa-ra mi
tie - nen en los o-chos dos es- trel - las, pe - ro las me-ji-ca-

a pa-sar la tempo- | ra- | da. U-na cu - ca - ra-cha | ra - da
de seguro son más | bel - | las Todas las muchachas | bel - las

tier - ra a pasar la tem-po-ra-da. O- lé!
ni - tas de se-gu-ro son más bellas.

D⁷   G   G   G   G

Aussprache: ch = [tʃ] qu = [k] j = [ch] ll = [lj] v = [w]   *D. C. al Fine*

Begleitsatz:

cu - ca, cu-cu-ca, cu - ca - ra - cha, cu - ca. cu-cu-ca,

cu - ca - ra - cha ra - ..., O-lé ra - ..., cu - ca - ra - cha, cu - ca -

ra - cha, cu - ca - ra - cha, cu - ca - ra - ... cù - ca ... O-lé!

D. C. al Fine

Ausführungsmöglichkeiten: a) Sopran: Liedmelodie + ATB: Begleitsatz + Baß + Git (ad lib.)
                       b) Chor I: Liedsatz, Chor II: Begleitsatz + Baß + Git (ad lib.)

Einsatz von südamerikanischem Instrumentarium, sowie Hinweise zu improvisatorischer Erweiterung siehe Arbeitshilfen zu Chor aktuell

© 1983 by Gustav Bosse Verlag GmbH & Co. KG, Regensburg   Tü→

Boleras Sevillanas

Volkslied aus Andalusien
Satz: Enrique Fábrez, *1926

Solo:(S. od. T.)

1. Tie-nen las se -vi - lla - - -
2. Ma-de-jas de o-ro fi - - -

*rep.**p*** Dam-da-ra, dam dam dam ...

nas en sus man - ti - - - llas
no son tus ca - be - - - llos

un le - tre - ro que di - - - ce: Vi - va Se - vi - - -
y tus o - jos a - zu - - - les co - mo los cie - - -

lla, Vi - va Se - vi - - -
los, Co - mo los cie - - -

lla, un le - tre - ro que di - - - ce vi - va Se - vi - - -
los y tus o - jos a - zu - - - les co - mo los cie - - -

Aussprache: Tienen las sevillanas en sus mantillas un letrero que dice: Viva Sevilla
               [j]   [z]   [j]   [ke] [th]   [j]

Nohay o-tro a-mor que él de una sevillana ardiente y fiel.
[nwaj]   [kjɛl]   [j]

2. Madejas de oro fino son tus cabellos y tus ojos azules como los cielos.
    [ch]   [j]   [ch] [th]   [th]

Tü→

Až já pojedu

Tschechisches Volkslied
Satz: Petr Eben, *1929

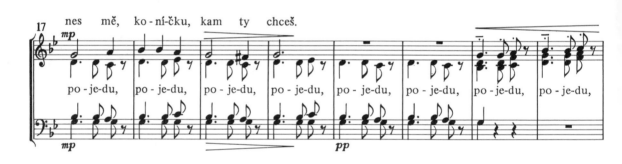

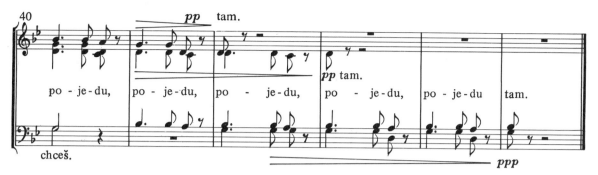

40

pp tam.

po - je - du, po - je - du, po - je - du, po - je - du, po - je - du tam.
pp tam.

chceš.
ppp

Aussprache: ž = [ʒ]   ř = [rʃ]   mě = [mje]   -čku = [tʃku]   ty chceš = [ti chtseʃ]

Tǔ→

Pod kopinom

Kroatisches Volkslied
Satz: Vinko Žganec

Vivace

Pod ko - pi - nom pod ze - le - nom tam je nje mu spa - va - ti, tam je nje mu spa - va - ti

7

o - be čal mi { 1. svi - len ro - bec,
2. zla - ten prsten,
3. žu - te čižme, } ne rad bi mi da - va - ti, ne rad bi mi da - va - ti.

1. svi - len ro - bec, svi - len ro - bec,
2. zla - ten pr - sten, zla - ten pr - sten, } oj
3. žu - te či - žme, žu - te či - žme,

13

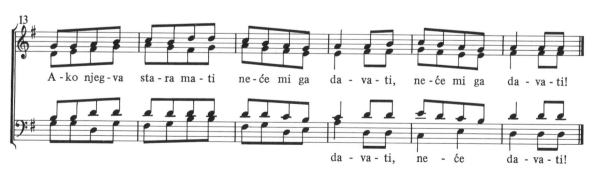

A - ko njeg - va sta - ra ma - ti ne - će mi ga da - va - ti, ne - će mi ga da - va - ti!

da - va - ti, ne - će da - va - ti!

Aussprache: č = [tʃ], s = [s], z = [z], ž = [ʒ], c = [ts], r = rollendes Zungen-„r", gilt als Vokal.

Tǔ→

Kad sí bila mala Mare

Volkslied aus Dalmatien
Satz: Franz Möckl

Ziemlich schnell

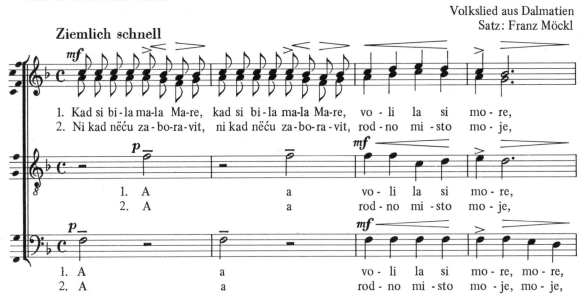

1. Kad si bi-la ma-la Ma-re, kad si bi-la ma-la Ma-re, vo - li la si mo - re,
2. Ni kad nĕću za-bo-ra-vit, ni kad nĕću za-bo-ra-vit, rod-no mi -sto mo-je,

1. A   a   vo - li la si mo - re,
2. A   a   rod-no mi -sto mo-je,

1. A   a   vo - li la si mo - re, mo - re,
2. A   a   rod-no mi -sto mo-je, mo-je,

a-sad si na-ras-la Ma-re, a-sad si na-ras-la Ma-re, pa vo - liš mor - na - re.
ni ti mo-gu za-bo-ra-vit, ni ti mo-gu za-bo-ra-vit, dra-ga o - či tvo - je.

o   o   pa vo - liš mor - na - re.
o   o   dra-ga o - či tvo - je.

o   o   pa vo - liš mor - na - re.
o   o   dra-ga o - či tvo - je.

A ——————————— vo - li la si mo - re,
A ——————————— rod - no mi - sto mo - je,

A   a   vo - li la si mo - re, mo - re,
A   a   rod - no mi - sto mo - je, mo - je,

p Melodie

Kad si bi-la ma-la Ma-re, kad si bi-la ma-la Ma-re, vo - li la si mo - re,
Ni kad nĕ-ću za-bo-ra-vit, ni kad nĕ-ću za-bo-ra-vit, rod-no mi-sto mo-je,

Kad si bi-la ma-la Ma-re, kad si bi-la ma-la Ma-re, vo - li la si mo - re, mo - re,
Ni kad nĕ-ću za-bo-ra-vit, ni kad nĕ-ću za-bo-ra-vit, rod-no mi-sto mo-je, mo-je,

Aussprache: k = gh, s = stimmloses „s", z = stimmhaftes „s", ć = tsch, č = dsch, š = sch, đ = dsch (stimmhaft), ë = offenes „e", fast „ä", o = immer offen, ō = geschlossenes „o"

Tü→

Pandur-andandori

Satz: Lajos Bárdos, *1899

136

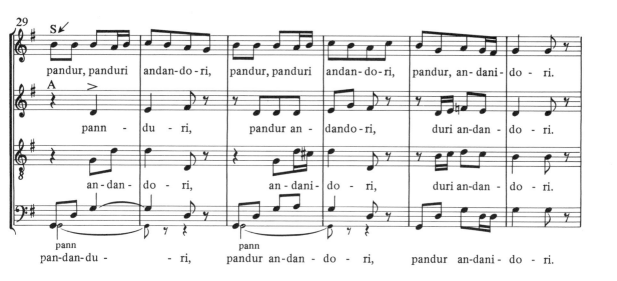

„Ungaresca" aus der Orgeltabulatur von Jakob Paix (1583)
Textunterlegung: Lajos Bárdos und László Lukin
Pandur = Gendarm; andandori = Wortspiel.

Esti dal / Abendlied

Volkslied aus Ungarn
Satz: Zoltán Kodály, 1882–1964

Adjon Isten jó éjsza-kát, Adjon Isten jó éj-szakát, m———— m———

Aussprache: Vokale ohne Akzent dunkel; mit Akzent hell; ë = [ɛ], s = [ʃ], sz = [s], z = [z], gy = [dj],
ts = [tʃ], c = [ts], cs = [tʃ]

Tű →

ⓒ assigned 1969 to Boosey & Hawkes Ltd.

Túrót eszik a cigány

Volkslied aus Ungarn
Satz: Zoltán Kodály, 1882–1964

Con moto ♩ = 200

Túrót ë-szik a cigány, duba,
Topfen der Zi-geuner kaut, duba,

Tú-rót ë-szik a ci-gány, Túrót ëszik a ci-gány, Túrót ë-szik a ci-gány, Túrót ë-szik

Topfen der Zi - geuner kaut, Topfen .... Topfen .... Topfen ....

Ve-sze - kë - dik az - u - tán, lë - ba, Még azt mondja po-fon vág, du - ba,
und darauf sich zankt und rauft, lë - ba, sagt: er haut mir ei - ne auf, du - ba,

Tú - rót ë - szik
Top - fen kaut er,

a ci gány, Tú-rót ë - szik a ci - gány, Tú - rót ë - szik a ci - gány, Tú-rót ë - szik
cresc.

.... Topfen ... Topfen ... Topfen ...

Aussprache siehe „Esti dal" Seite 138

Textübertragung: Emma Kodály

ⓒ by Universal Edition AG, Wien

Mjej ty dobru nóc

Wendisches Volkslied
Satz: Siegfried Strohbach (1971)

142

Textübertragung: Siegfried Strohbach

Hochzeitslied

N.A. Rimskij-Korssakow, 1844—1908

sso wju - nom ja cha - shu, ss sa - la - tym ja cha - shu, ja nje

sha - ju ku - da wjun pa - la - shitj, ja nje sna - ju sa - la - to - wa pa - la - shitj.

1. sso wju - nom ju cha - shu, ss sa - la - tym ja cha - shu, ja nje

A 2. (sso wju - nom ja cha - shu, ss sa - la - tym ja cha -

Fine

sna - ju ku - da wjun pa - la - shitj, ja nje sna - ju sa - la - to - wa pa - la - shitj.

shu, ja nje sna - ju ku - da wjun pa - la - shitj, ja nje sna - ju sa - la - to - wa pa - la - (pa - la - shitj)

T 3. (sso wju - nom ja cha - shu, ss sa - la - tym ja cha - shu, ja nje

B 4. (shitj.) (sso wju - nom, ja cha - shu, ss sa - la - tym ja cha -

sso wju - nom ja cha - shu, ss sa - la - tym ja cha - shu, ja nje

shitj. sso wju - nom ja cha - shu, ss sa - la - tym ja cha -

sna - ju ku - da wjun pa - la - shitj, ja nje sna - ju sa - la - to - wa pa - la - shitj.

shu, ja nje sna - ju ku - da wjun pa - la - shitj, ja nje sna - ju sa - la - to - wa pa - la -

Aussprache: sso wju-nom ja cha-shu, ss sa - la -tym ja cha-shu, ja nje
             [ss]   [ch] [ʒ] [ss]
             sna -ju ku - da - wjun pa - la -shitj, ja nje sna -ju salatowa ...
                      [ʒ]   [z]

Tü→

Shalom aleichem

Aus Israel
Satz: Gil Aldemá

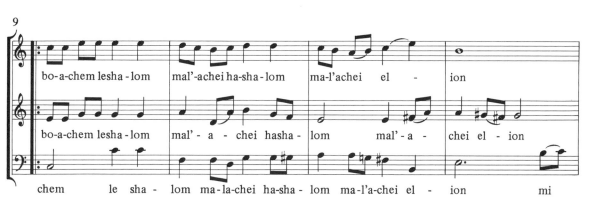

Aussprache: sh = [ʃ], ch = [Rachen - ch], ei = [ej]

Tü →

Radhalaila

Hora aus Israel
Satz: Max Frey

1. Str.einst. ♩ = 84 (*p*)   2. Str.vierst. ♩ = 104 (*mf*)

3. Str. ♩ = 138 (*f*)

Aussprache: sh = [ʃ], ei = [ej], ch = [Rachen-ch]

Text: Yaakov Orland

Tü →

Glorious Kingdom

Spiritual
Arr.: Wolfgang Kelber

2. Was born in a town called Bethlehem and they say ...
3. Sent to us from our father above and they say ...

I can tell the world

Spiritual
Arr.: Jester Hairston

Nobody knows the trouble

Spiritual
Arr.: Rolf Mammel

Verhalten, aber nicht zu breit

No - bo - dy knows de trouble I've seen, no - bo - dy knows but

Je - sus; no - bo - dy knows de trouble I've seen, Glo - ry, hal - le - lu - jah! Oh,

no - bo - dy knows de trouble I've seen, no - bo - dy knows but Je - sus;

No - bo - dy knows de trouble I've seen, no - bo - dy knows but Je - sus;

No - bo - dy knows de trouble I've seen, no - bo - dy knows but Je - sus;

No - bo - dy knows de trouble I've seen, no - bo - dy knows but Je - sus;

Elijah Rock

Spiritual
Arr.: Jester Hairston

*gilt nur im D.C.

Amen

Rhythmically ♩ = 88

Gospel
Arr.: Norman Luboff

154

Free at last

Good news

Spiritual
Arr.: Wolfgang Kelber

Good news, char - i - ot's com-in', good news, char - i - ot's com-in', good

news, char - i - ot's com-in', and I don't want to lea-ve me be-hind.

Fine

1. There's a long white robe in the heaven I know, a long white robe in the heaven I know, there's a

long white robe in the heaven I know, and I don't want to lea-ve me be-hind.

D.C.

2. There's a pair of wings ...
3. There's a pair of shoes ...
4. There's a golden harp ...

Yesterday

John Lennon / Paul McCartney
Arr.: Lebrecht Klohs

Mäßig langsam

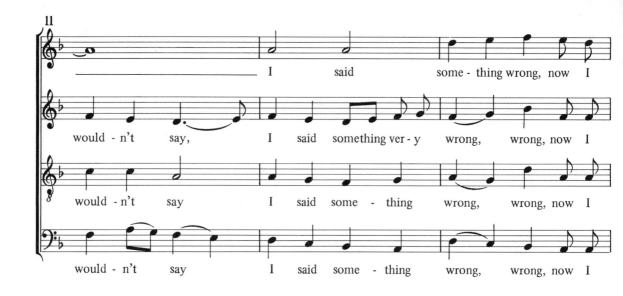

Ring-Around-A-Rosy-Rag

Arlo Guthrie
Arr.: Finn Roar

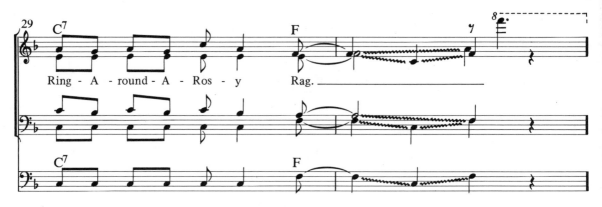

Ring - A -round - A - Ros - y   Rag.

Klavierbegleitung: l.H. = instr.-bas. r.H. = ⸲ F ⸲ F   oder Gitarre FFFF

Vorschlag für Rhythmusbegleitung:

Michelle

John Lennon / Paul McCartney
Arr.: K.-F. Jehrlander

Introduction   *(rubato)*

S: Do do___ do do___ do do do do   Mi - chelle,___ ma belle,

A: Do do do do do   do   Mi - chelle, ma bel - le,

T: Do do___ do do___ do do do do   Mi-chelle, ma bel - le,

B: Do   do   do   do   Mi - - chelle,   these sont

these are words that go to-geth-er well, ma Mi - chelle.   - semble.   I
sont les mots qui vont très bien en - semble, très bien en - - semble.

words to - geth - er well, ma Mi - chelle.   - semble.
mots qui vont très bien, bien en - - semble.

words to - geth - er well, ma Mi - chelle.   - semble.
mots qui vont très bien, bien en - - semble.

words to - geth - er well, ma Mi - chelle.___   - semble.
mots qui vont très bien, bien en - - semble.

Warm - up (A Round for Chorus)

With great precision ♩ = 100, ma quasi in 4, ♪ = 200

Leonard Bernstein, *1918

Ausführung: Einleitung – Kanon unisono + Klatschen – Kanon (beliebig oft) mehrstimmig ohne Klatschen –
Coda + Klatschen – Fine
(zur Coda: 1. Kanongruppe 5x, dann Fine; 2. Kanongruppe 4x, dann Fine; 3. Kanongruppe
3x, dann Fine; ... usw. ... 6. Kanongruppe sofort Fine ohne Coda)
1./2./3. Kanongruppe S + A – 4./5./6. Kanongruppe T + B

Quando conveniunt

Carl Orff, 1895–1982

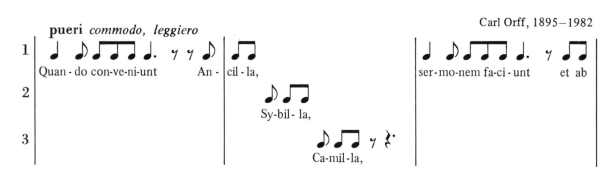

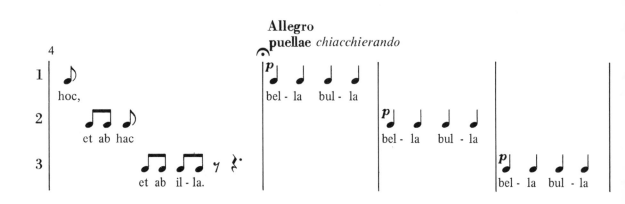

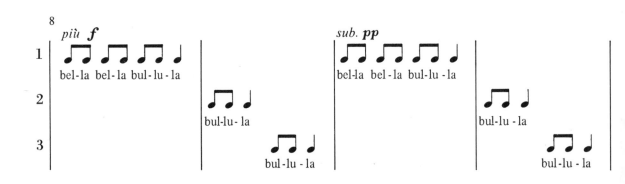

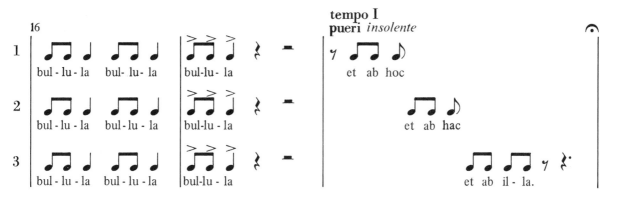

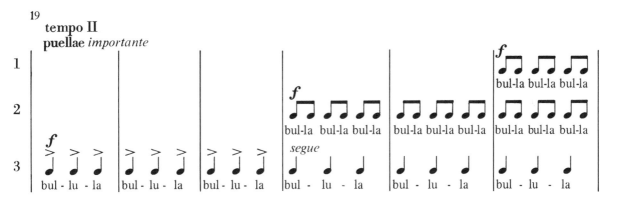

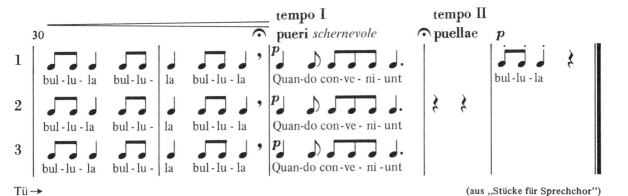

Tü →

(aus „Stücke für Sprechchor")

169

Personalia

♩ = gesprochen   ✗ *p, pp = geflüstert*   ✗ *mf, f = tonlos gesprochen*

(aus „Ludus verbalis, op. 10"

Quantitativa

Einojuhani Rautavaara

(aus „Ludus verbalis, op. 10")

Vokalstudie

Harald Weiss, *1949

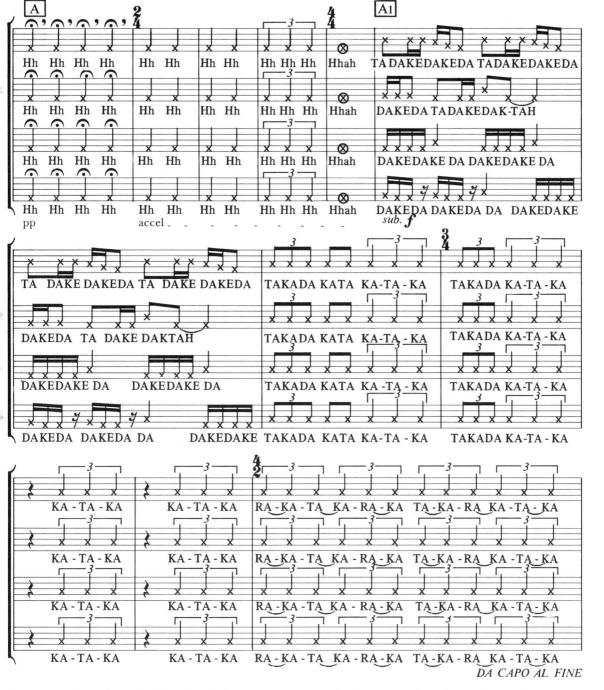

Es ist darauf zu achten, daß über das bloße Sprechen der Notenwerte hinaus folgende Aspekte erprobt und erfahren werden:

- die Kraft, die ein kurzes rhythmisches Motiv in bezug zu den durchgehenden schwingenden Achteln enthält. Sprachmelodie, Artikulation und die dazugehörigen Silben (man achte auf gleiche Aussprache bei allen Spielern) verstärken dieses rhythmische Phänomen.
- das „Singen" der Notenwerte und das Atmen ergänzen sich zu einem organischen, körperlichen Ablauf. Musikalische Präzision stellt sich „automatisch" ein, wenn dieser organische Ablauf von allen **Sängern** in Bezug zu den schwingenden Achteln empfunden wird.
- die Achtel am Anfang sollen dieses Schwingen bereits — möglichst vor dem hörbaren Beginn — bei den **Sängern** innerlich bewirken.

Artikuliere daher die Achtel nicht gleichberechtigt, sondern fasse immer vier Achtel zu einer schwingenden Phrase zusammen:

(dabei chorisch atmen)

Die Tonhöhe des „Sprachgesangs" ist beliebig; Tonhöhenunterschiede der einzelnen Stimmen sind als relativ zu verstehen. (Kein gemeinsamer Ton am Anfang!)

Die Tempowohl ist beliebig; ideal wäre ♩ = 96 bzw. ab [A1] ♩ = 124.

Die Achtel am Anfang und die Triolenviertel am Ende sollen die gleiche Dauer besitzen (Organischer Übergang bei DA CAPO).

(aus „Schlagzeugwerkstatt Heft 2")

Süßer Tod

Klaus Stahmer, *1941

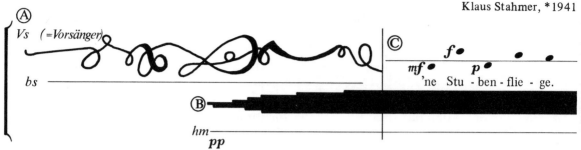

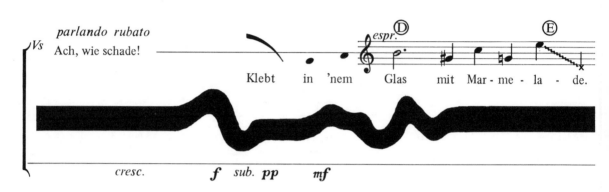

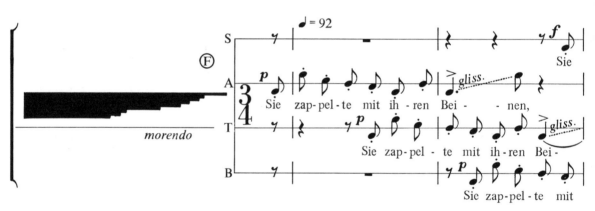

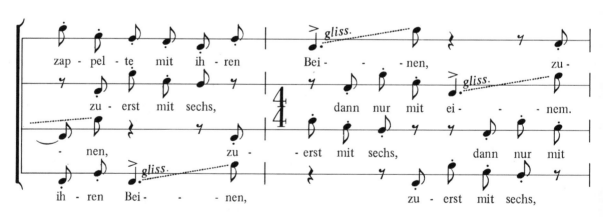

Ⓐ = Vorsänger folgt mit stimmhaftem Summton der Linie, die in Tonhöhe, Lautstärke und Richtung den Taumelflug einer **Stubenfliege** wiedergibt. Vorwärts und Rückwärts, Auf und Ab, Nah und Fern können gut mimisch dargestellt werden.

Ⓑ = Ein Stimmführer (in der Mitte des Chores) beginnt in der Mittellage zu summen. Danach setzen die ihm zunächst stehenden Sänger höher bzw. tiefer ein. Der Dirigent regelt den strahlenförmigen Aufbau des Clusters und dirigiert das gemeinsame Auf und Ab.

Am Ende setzt ein Sänger nach dem anderen, von unten nach oben gehend, aus.

Ⓒ = Kurze gesungene Töne, ungefähre Tonhöhe. Ⓓ = Gesungene Töne, relative Tonhöhe.

Ⓔ = Meckerndes Glissando, letzter Ton gesprochen. Ⓕ = Gesungene Töne, ungefähre Tonhöhe.

174

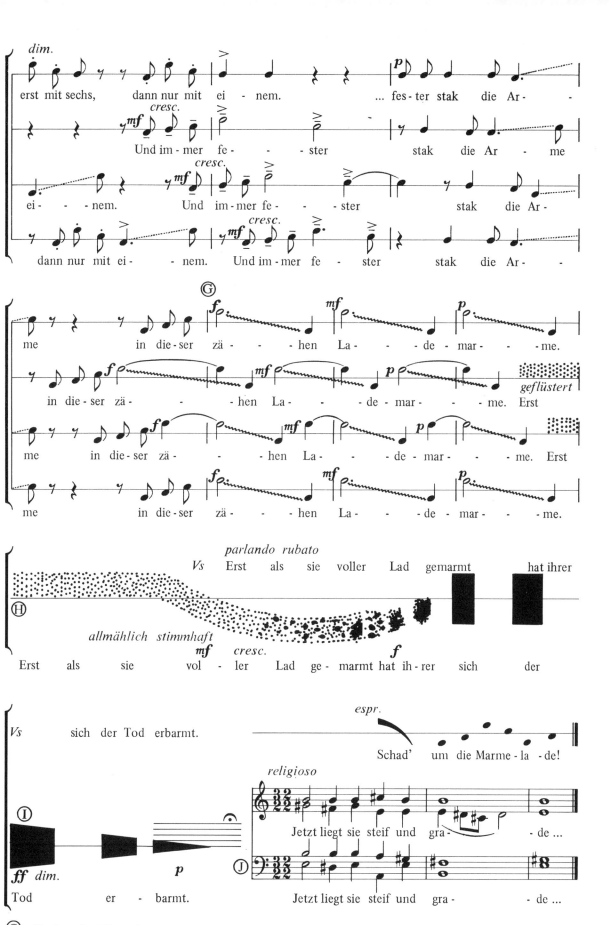

erst mit sechs, dann nur mit ei - nem. ...fe-ster stak die Ar-

Und im-mer fe - -ster stak die Ar - me

ei - nem. Und im-mer fe - -ster stak die Ar-

dann nur mit ei - nem. Und im-mer fe - ster stak die Ar -

me in die-ser zä - -hen La - -de-mar - -me.

in die-ser zä - -hen La - -de-mar - -me. Erst

me in die-ser zä - -hen La - -de-mar - -me. Erst

me in die-ser zä - -hen La - -de-mar - -me.

parlando rubato

Vs Erst als sie voller Lad gemarmt hat ihrer

allmählich stimmhaft

Erst als sie vol - ler Lad ge - marmt hat ih - rer sich der

espr.

Vs sich der Tod erbarmt.

Schad' um die Marme - la - de!

religioso

Jetzt liegt sie steif und gra - - de ...

Tod er - barmt.

Jetzt liegt sie steif und gra - - de ...

Ⓖ = Meckerndes Glissando.
Ⓗ = Ad libitum–Sprechen, allmählich ins Unisono übergehen.
Ⓘ = Alle Sänger gleiten in einen Ton, der vom Stimmführer (siehe B) bestimmt wird. Die Fermate so lange halten, bis alle denselben Ton erreicht haben. Von diesem Ton aus den vierstimmigen Satz intonieren.

(aus „Tiere wie du und ich")

Der Phlegmatiker

Heinz Kratochwil, *1933

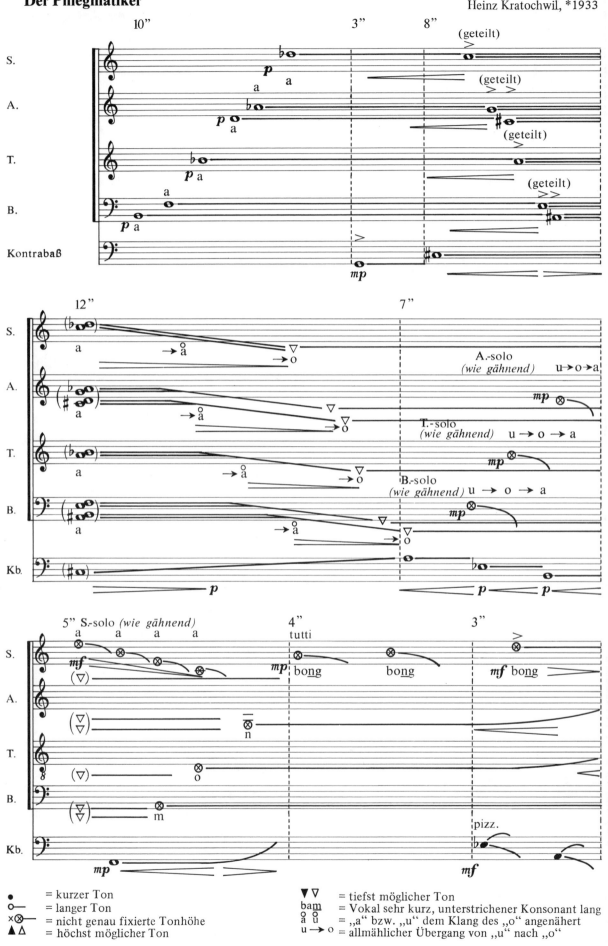

- ● = kurzer Ton
- ○— = langer Ton
- ×⊗ = nicht genau fixierte Tonhöhe
- ▲△ = höchst möglicher Ton
- ▼▽ = tiefst möglicher Ton
- bam = Vokal sehr kurz, unterstrichener Konsonant lang
- å ů = „a" bzw. „u" dem Klang des „o" angenähert
- u→o = allmählicher Übergang von „u" nach „o"

176

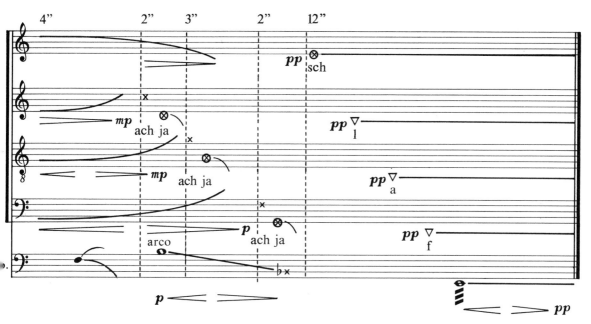

by Ludwig Doblinger (B. Hermansky) KG, Wien

(aus „Die vier Temperamente op. 81")

Der Choleriker

Heinz Kratochwil

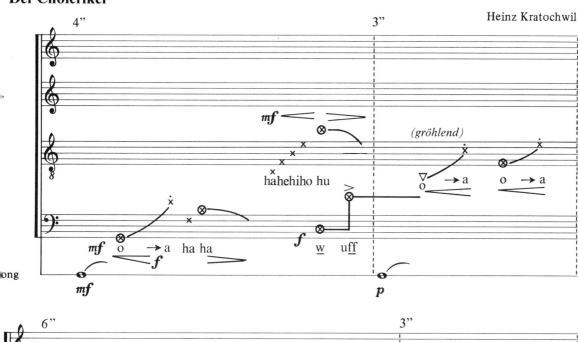

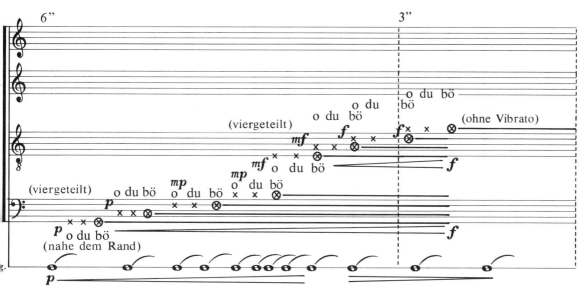

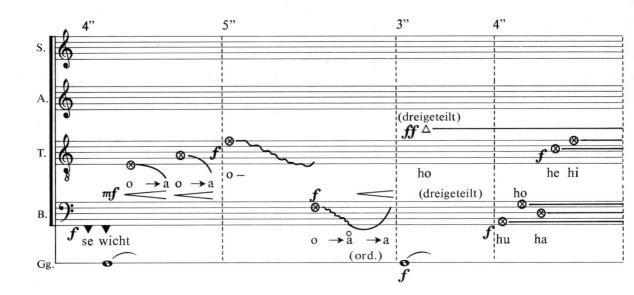

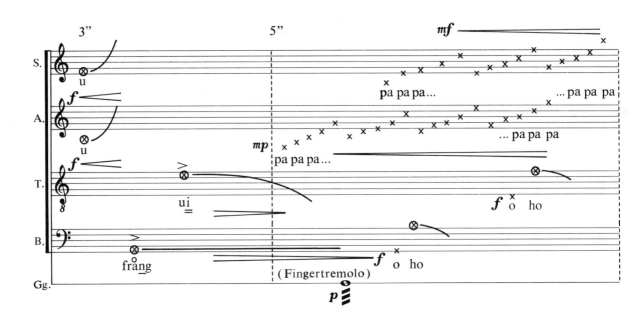

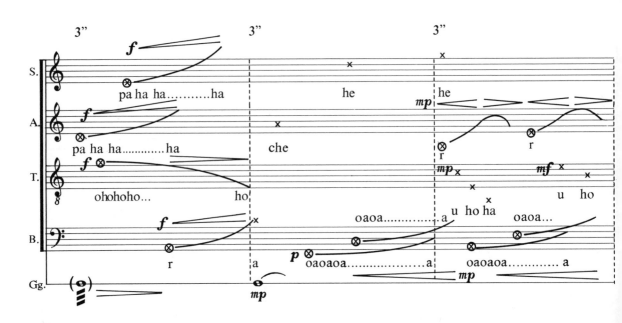

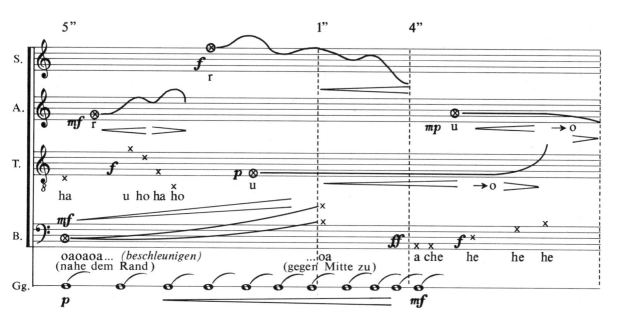

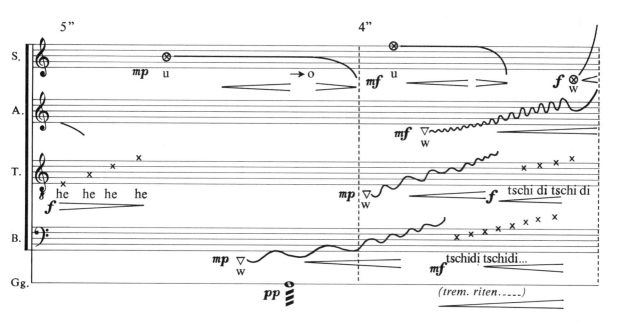

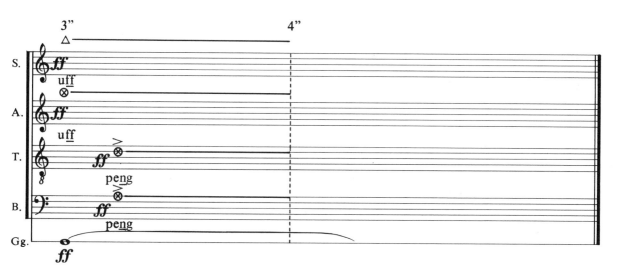

(aus „Die Temperamente op. 81")

Vater unser

Wolfgang Stockmeier, *1931

000 „Vater unser im Himmel."

Diese Anrede wird zunächst von einigen Bassisten gesprochen. Jeder spricht unabhängig vom andern, leise und im natürlichen Sprachrhythmus, jedoch etwas langsam. Die Anrede wird mehrfach wiederholt; zwischen den einzelnen Wiederholungen sollen verschieden lange Pausen eintreten. Nach und nach beteiligen sich alle Sänger und Sängerinnen an dieser Art des Sprechens (Baß, Tenor, Alt, Sopran), immer sehr leise. *Es soll der Eindruck einer unaufhörlichen Anrufung Gottes entstehen.*

Gegen Ende der ersten Minute setzt ein leichtes Crescendo ein (**pp** → **p**).

100 Der auf diese Weise entstandene gleichsam statische Sprachklang (immer **p**) wird von der tiefen Lage her mit musikalischen Tönen durchsetzt, so daß er sich ganz allmählich in einen Akkord verwandelt, der möglichst alle Halbtöne innerhalb des normalen menschlichen Stimmumfangs enthalten sollte. Während also das allgemeine Sprechen fortgesetzt wird, fangen zunächst wieder einzelne Bassisten unabhängig voneinander an, den Text auf jeweils gleichbleibender Tonhöhe zu singen, die ersten sehr tief, die späteren immer etwas höher. Jeder Sänger behält auch bei den Wiederholungen des Textes die einmal gewählte Tonhöhe in etwa bei (Pausen zwischen den Wiederholungen wie vorher beim Sprechen). Der Akkord wächst allmählich von unten nach oben, je mehr Sänger und Sängerinnen vom Sprechen ablassen und sich am Singen beteiligen (immer **p**).

Nach etwa einer weiteren Minute ist aus dem gesprochenen Block eine musikalische Klangfläche geworden.

200 Die in unaufhörlicher, jedoch niemals genau zu fassender Bewegung befindliche Klangfläche steigert sich im Verlauf einer halben Minute vom **p** zum **fff** . Nachdem der dynamische Höhepunkt erreicht ist, bricht der Gesang plötzlich ab.

230 Nach einer Atempause von etwa einer halben Sekunde singt der ganze Chor **fff** (jeder Sänger auf der bisher benutzten Tonhöhe) im gleichen Rhythmus einmal die Worte „Vater unser im Himmel". Das Singen dieser Worte soll etwa 20 Sekunden beanspruchen. Die Dauer jeder einzelnen Silbe bestimmt der Dirigent.

250 Hiernach tritt eine Generalpause von etwa 10 Sekunden ein.

300 *Die Planung des folgenden Teils ist durch die Ansicht bestimmt, daß sich alle Bitten des Vaterunsers in der einen um das tägliche Brot zusammenfassen lassen: alles, worum es in diesen Bitten geht, ist Lebensvoraussetzung, Lebensnotwendigkeit, Ausdruck christlicher Hoffnung und Gewißheit, auch gewünschtes Resultat christlicher Lebensführung, – also „tägliches Brot". Alle Bitten sind besondere Aspekte dieser einen, alle gehen in ihr auf.* Die musikalischen Bestandteile, die demnach für die Gestaltung dieses Teils zur Verfügung stehen, haben folgende Beschaffenheit: Die Bitte „Unser tägliches Brot gib uns heute" wird vom Sopran I (mehrere nebeneinanderliegende hohe Töne, nicht so hoch wie im vorhergehenden Teil) und vom Baß II (mehrere nebeneinanderliegende tiefe Töne, nicht so tief wie im vorhergehenden Teil) mehrfach wiederholt. Alle Silben haben die gleiche Dauer (etwa 1 1/2 Sekunden) und werden von allen Beteiligten in gleicher Weise gesungen (immer **p**). Die längeren oder kürzeren Pausen zwischen den Wiederholungen dieses „Ostinato" bestimmt der Dirigent.

Alle anderen Bitten werden nach Belieben gesprochen oder von den einzelnen Gruppen in einem ungefähr festgelegten Tonraum clusterartig psalmodierend gesungen. Das Sprechen kann innerhalb der einzelnen Gruppen durcheinander oder gleichzeitig (im natürlichen Sprachrhythmus) geschehen. Die Bitten können in der beschriebenen Weise in einem einheitlichen *piano* bis zum *f* crescendierend vorgetragen werden.

Abgesehen von der Bitte um das tägliche Brot, die sozusagen den formalen und inhaltlichen Rahmen dieses Teils bildet, sollten nie mehr als zwei Bitten gleichzeitig gesungen bzw. gesprochen werden. Die Reihenfolge ist beliebig. Die Sängerinnen und Sänger können in den Pausen zwischen den Wiederholungen der einzelnen Bitten gemäß den Intentionen des Dirigenten entweder schweigen oder äußerst leise die Töne summen (auf „n"), die sie auch zum Singen benutzen.

Die einzelnen Stimmgruppen und Texte:

Sopran II	(etwa g^1 – c^2):	„Geheiligt werde dein Name."
Alt I	(etwa d^1 – as^1):	„Dein Reich komme."
Alt II	(etwa b – es^1):	„Dein Wille geschehe wie im Himmel so auf Erden."
Tenor I	(etwa as – des^1):	„Vergib uns unsre Schuld, wie auch wir vergeben unsern Schuldigern."
Tenor II	(etwa e – a):	„Führe uns nicht in Versuchung."
Baß I	(etwa c – f):	„Erlöse uns von allem Übel."

Die Dauer dieses Teils beträgt mindestens vier Minuten.

700 „Denn dein ist das Reich und die Kraft und die Herrlichkeit in Ewigkeit." Der ganze Chor singt diese Worte im gleichen Rhythmus, wobei die Dauer der einzelnen Silben vom Dirigenten bestimmt werden. Alle Stimmgruppen beginnen **pp** um d^1 herum. Bei den verschiedenen Sinnabschnitten wird die Klangfläche von den äußeren Stimmgruppen jeweils sprunghaft vergrößert (kein Glissando!), die inneren rücken ein wenig nach, um den Raum auszufüllen. Mit der Ausdehnung der Klangfläche geht ein intensives Crescendo Hand in Hand.

Denn dein ist das Reich und die Kraft und die Herrlichkeit in Ewigkeit.

745 Nach einer Pause von etwa drei Sekunden wird das „Amen" von allen leise gesprochen.

Die angegebenen Zeiten sind Mindestzeiten. Sie können nach Belieben überschritten werden.

Text: Matthäus 6, 9 und 13 (aus „Fünf geistliche Lieder für gemischten Chor")

© 1970 by Möseler Verlag, Wolfenbüttel und Zürich

Vater unser

Graphische Notation: Kurt Suttner

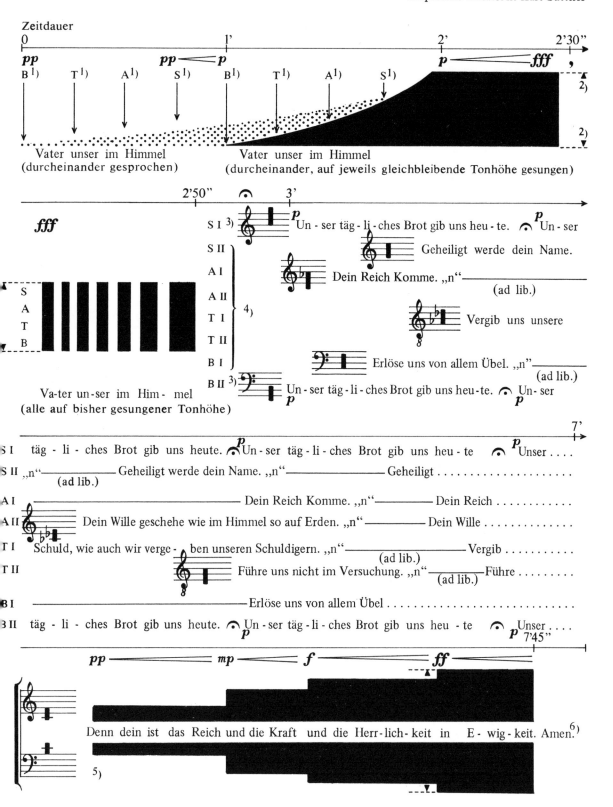

1) erst einzelne, dann nach und nach alle   2) ▲ = so hoch wie möglich   ▼ = so tief wie möglich
3) immer gesungen, alle Silben gleiche Dauer, immer p , quasi Ostinato, Dauer der ⌒ bestimmt der Dirigent
4) Einsätze ad lib. gesprochen oder psalmodierend clusterartig gesungen, durcheinander oder gleichzeitig, Dynamik ad lib. *p* bis *f* , auch cresc., dazwischen ad lib. „n" im angegebenen Tonraum (*pp* !), nie mehr als
   zwei Bitten gleichzeitig. Einsätze bestimmt der Dirigent.
5) Dauer der Silben bestimmt der Dirigent; insgesamt bis Schluß ca 45"; Cluster wächst sprunghaft (kein
   Glissando!).
6) nach ca. 3" leise von allen gesprochen.

181

Rondes

Folke Rabe,*1935

Tonhöhen

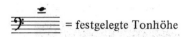 = festgelegte Tonhöhe

• = relative Tonhöhe

▲ ▼ = Tonlage so hoch bzw.
so tief wie möglich

〰 = Wechsel der Tonhöhe durch
Schlangenlinie angedeutet

flare = zwischen Vibrato und Triller
(instrumentaler Effekt aus der
Jazzmusik)

Dauer der Klänge

•——— = Länge des Klanges angezeigt
durch Länge des Striches

• = so kurz wie möglich

♫♫ = wie in der traditionellen Notation

Dynamik

f poss, *p poss* = so laut bzw. leise wie möglich

Zusätzliche Klangsymbole

o = dieses Zeichen unter einem
Konsonanten bedeutet, daß
dieser stimmlos (ohne Ton)
produziert wird

$z^1 z^2 z^3$
$s^1 s^2 s^3$ = „z" und „s" mit drei verschiedenen Lippenstellungen

1=mit Lippenstellung des
Vokals „u" („Schnute")
2=mit Lippenstellung des
Vokals „e"
3=mit Lippenstellung des
Vokals „i"

Vokale

i = wie in „die"

e = wie in „Mehl"

u = wie in „Ruh"

o = wie in „Sohn"

a = wie in „Mann"

ɑ = wie in „Wahn"

Verschlußlaute

ʔ = mit Glottisschlag, sehr hart

p = wie in „Ping-Pong"

t = Zungenspitze gegen die Zähne,
aspiriert

ṭ = Zungenspitze hinter den Zähnen,
sog. „britisches t"

k = wie in „Glück"

Reibelaute

r = Zungen-r

ƀ = die Lippen vibrieren,
während man einen Ton
singt

ɓ = quasi blblbl, die Zunge
flattert zwischen den Lippen

Zischlaute
s = stimmlos

z = stimmhaft

Andere Zeichen und Anweisungen

→ = allmächlicher Übergang

⌐⌐ = kurze Fermate

Duro a la russe = gepreßte Stimme, wie
manchmal in der sla-
wischen Volksmusik

Die Partitur bietet Möglichkeiten zur freien Gestaltung. Die Zeitangaben sind Annäherungswerte. Stimmgabeln mögen benützt werden, wenn nötig. Angaben zu Tempo und Dynamik der einzelnen Chorstimmen auf Seite 185 im 2. System sollen von Unterdirigenten angezeigt werden (einer für jede Stimme). Nähere Erläuterungen siehe Arbeitshilfen zu Chor aktuell.

Übersetzung: K. S.

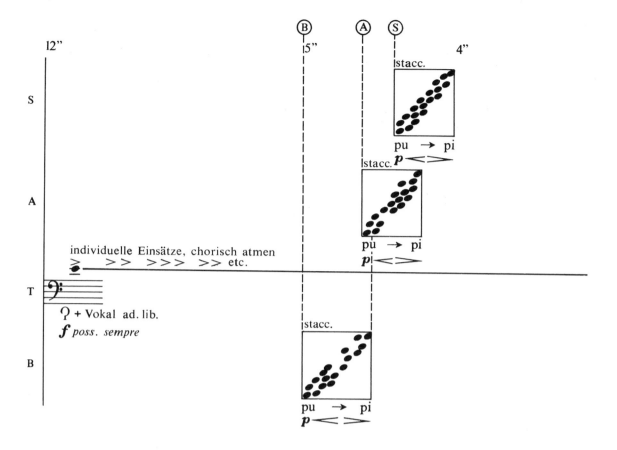

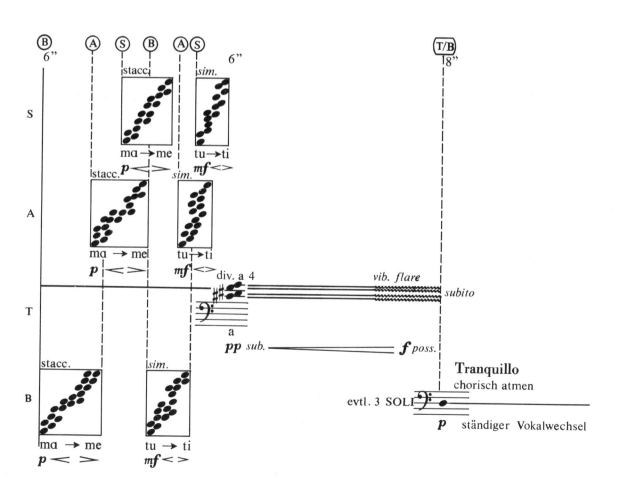

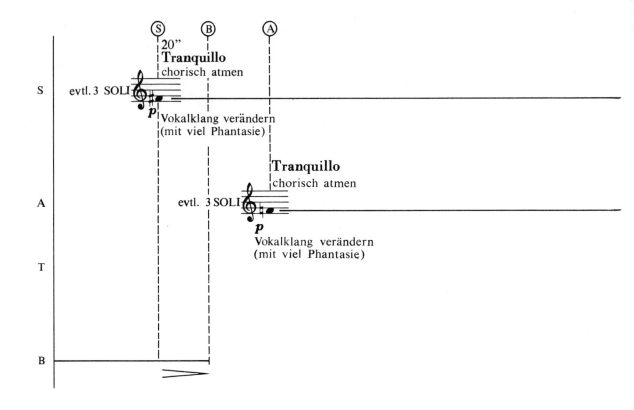

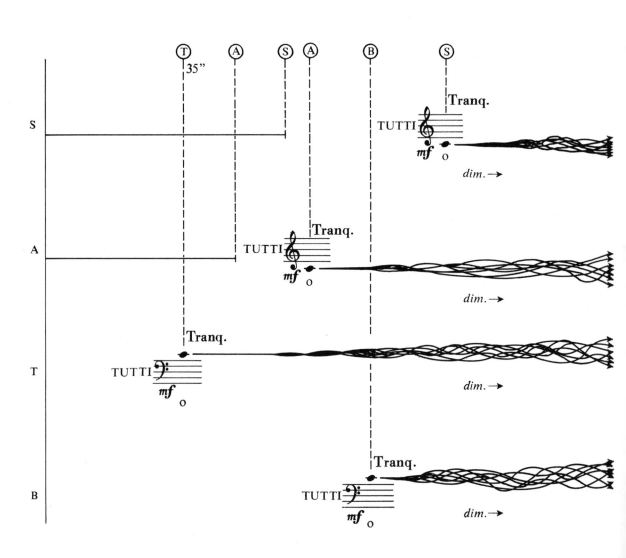

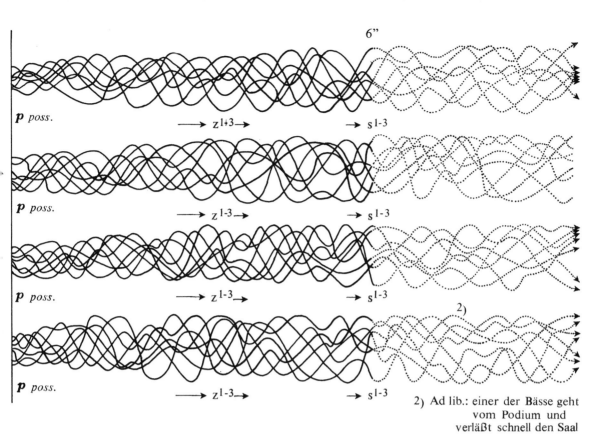

p poss.

$\longrightarrow z^{1+3} \longrightarrow$ $\longrightarrow s^{1-3}$

p poss.

$\longrightarrow z^{1-3} \longrightarrow$ $\longrightarrow s^{1-3}$

p poss.

$\longrightarrow z^{1-3} \longrightarrow$ $\longrightarrow s^{1-3}$

p poss.

$\longrightarrow z^{1-3} \longrightarrow$ $\longrightarrow s^{1-3}$

6"

2) Ad lib.: einer der Bässe geht
vom Podium und
verläßt schnell den Saal

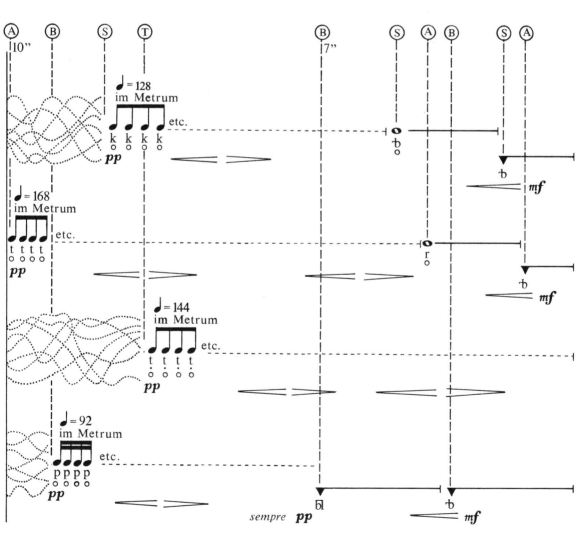

sempre **pp**

185

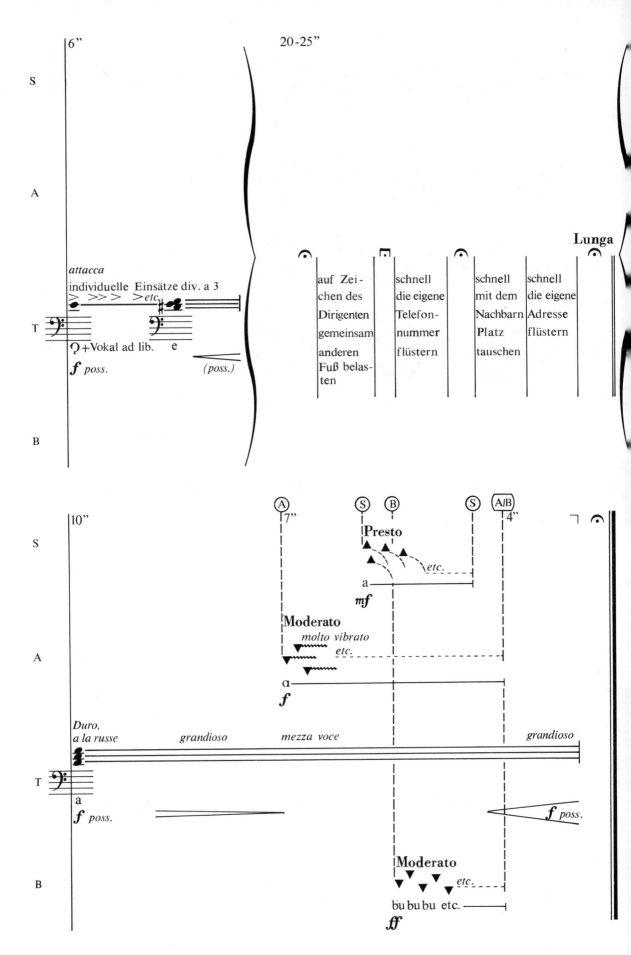

Zwei phonetische Etüden

Meditation

Lars Edlund, *1922

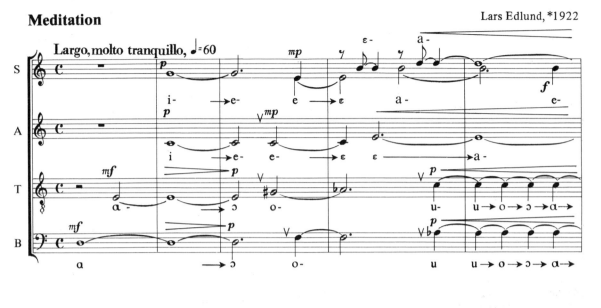

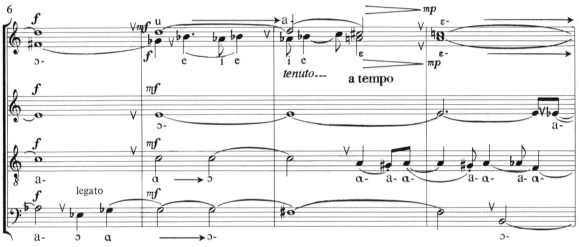

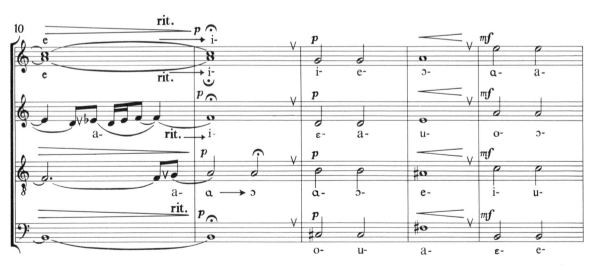

α = a wie in „sagen"

a = sehr helles α (zwischen α und ä)

ε = ä (zwischen a und e)

ɔ = offenes o (zwischen α und o)

i →e = stufenloser Übergang

(siehe Vokalkreis Seite 196)

Scherzo

Lars Edlund

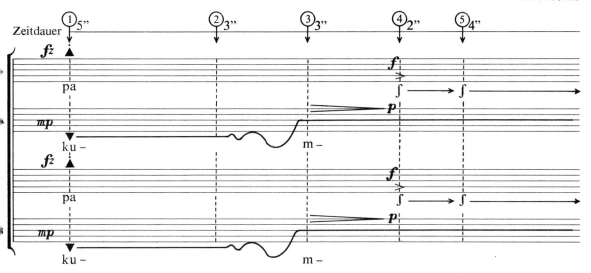

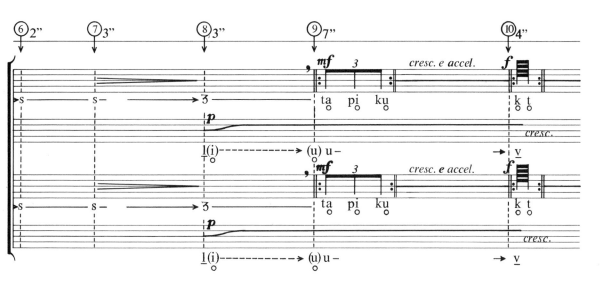

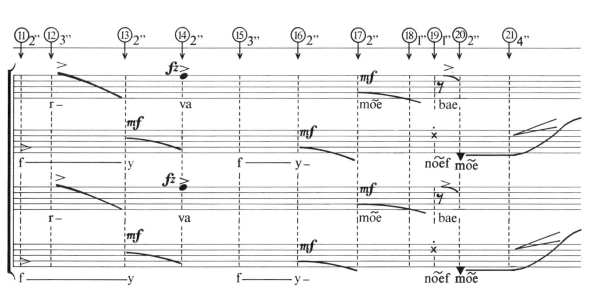

189

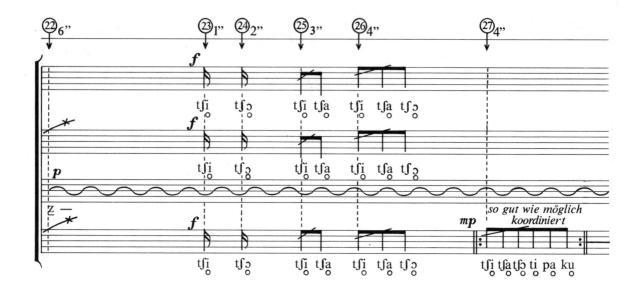

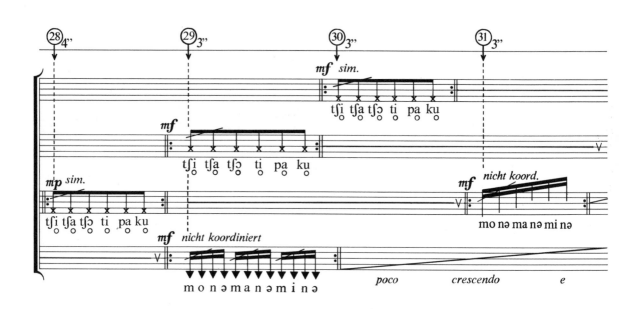

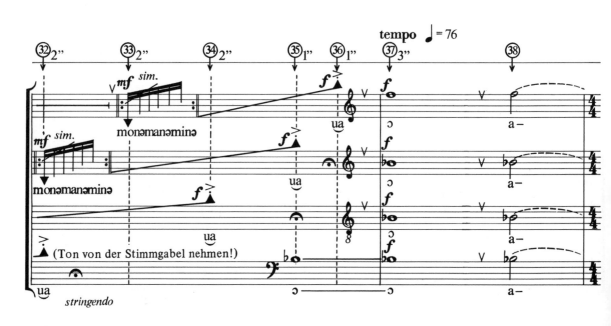

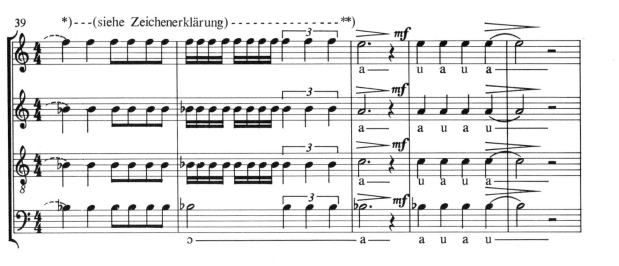

Lento, ♩ = 50, *legatissimo!*

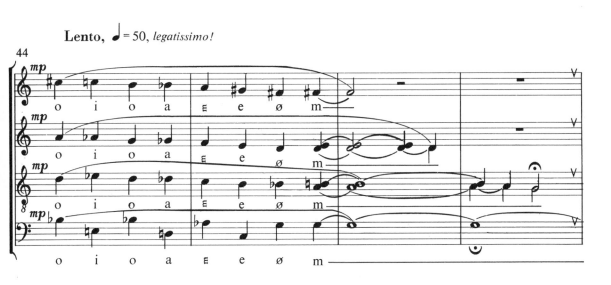

♩ = 88 - 92

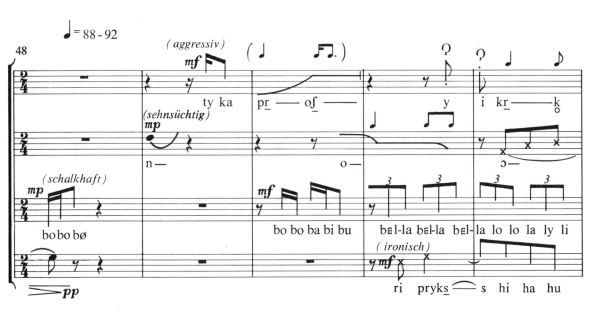

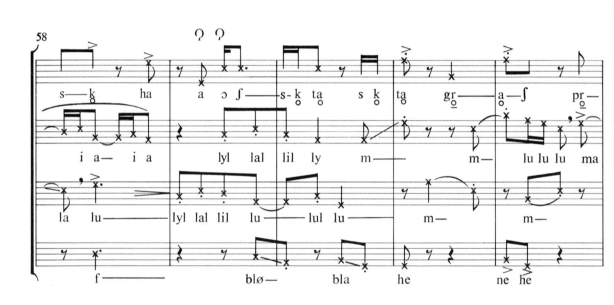

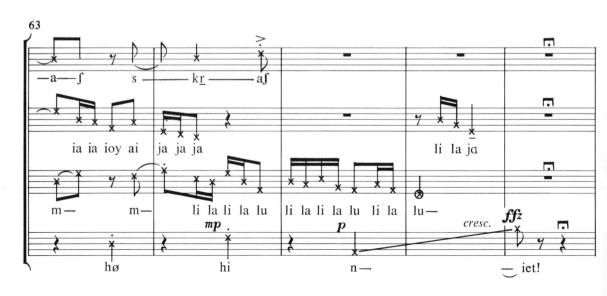

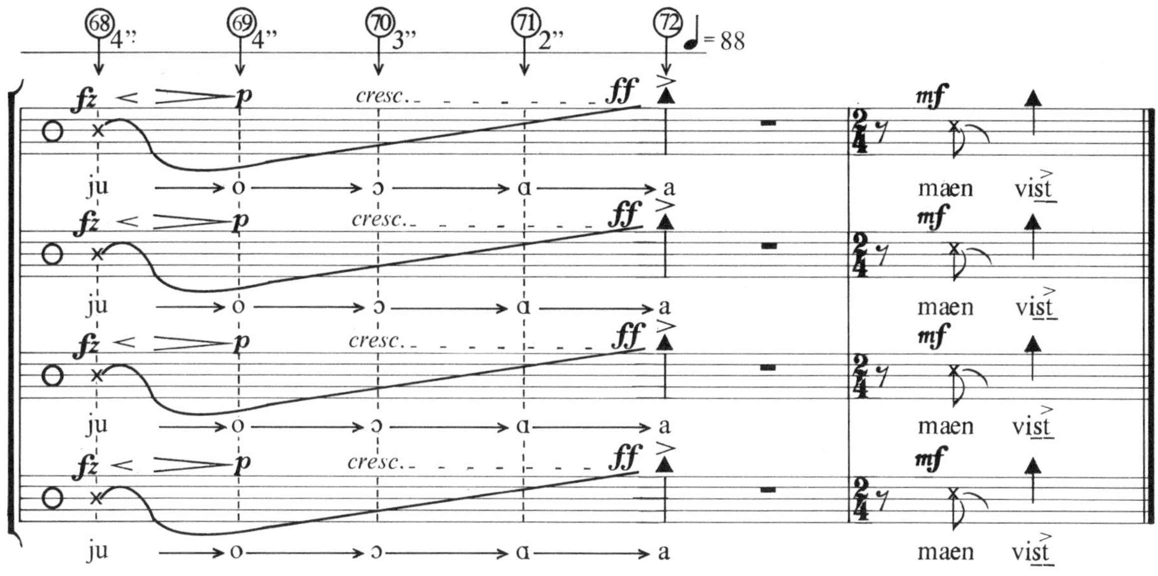

zu (1) ▾ = möglichst tief ▴ = möglichst hoch
Die angegebenen Vokale und Konsonanten sind im ganzen Stück in der internationalen Lautschrift notiert (siehe auch Rondes von Folke Rabe S. 182)

zu (4) - (8) Sopran und Tenor: vom normalen „sch"–Laut über spitziges „sch" (wie in engl. „ship") zum stimmlosen „s" und successive weiter zum „ʒ" (wie in franz. „jour")

zu (8) - (10) Alt und Baß: o unter einem Vokal bedeutet Artikulation des angegebenen Konsonanten mit intensiver aber tonloser Vokaleinstellung („l" mit Übergang der Lippenstellung vom „i" zum „u") unterstrichene Laute besonders intensiv (auch später im Stück!)

zu (10) Alt und Baß: v = stimmhaftes „w" als Vorbereitung des stark angeblasenen „f" bei (11)

zu (11) - (16) Alt und Baß „fy" wie deutsch „pfui" - y = „ü" (dem Klangcharakter des „i" angenähert)

zu (14) - (20) va sehr kurz und hoch; mõe, nõef, bae wie tierische Laute; õe = „ö" (wie franz. „peur", aber nasal), ae = langes, breites, dickes „ä" (wie engl. „bad")

zu (22) bei x Übergang ins Falsett („wie eine Kuh"), z = stimmhaftes „s"

zu (23) - (33) Konsonanten deutlich artikulieren, Vokale flüstern (fast mit Ton!); kein zu schneller Anfang bei (27)
innerhalb der angegebenen Zeiten mehrmals wiederholen

zu (30) - (36) Glissando nach oben

zu (32) - (36) ▴ = kurzes, intensives Bellen im höchsten Register

zu (39) - (41) Mundstellung wie beim Singen des Vokals „a". Rechte Handfläche deckt den Mund im angegebenen Rhythmus zu, sodaß der Luftstrom durch die Nase geht und der Ton gedrosselt klingt. Klangresultat etwa: oder entsprechend.

zu (44) die Folge von Vokalen ein Wortspiel: och i oa är en ö (auf schwedisch ausgesprochen: o i oa ɛr en ø) bedeutet: „und im Fluß ist eine Insel".
zur Aussprache: ɛ = „ä", ø = „ö" (wie franz. „peu")

zu (48) - (67) und annähernd auf der angegebenen Tonhöhe artikulieren (mit der intensiven inneren Vorstellung der angegebenen Gefühlshaltung)

zu (51), (52), (62) Sopran: ʔ = Glottisschlag

zu (67) = kurze Fermate

zu (73) maen vist zu deutsch etwa: „jawohl": soll mit einer Art frohen Erstaunens gerufen werden.
(siehe auch die Erläuterungen in den Arbeitshilfen zu Chor aktuell)

(aus „Körstudier")
Übersetzung: K. S.

To be what we are to be about

Kurt Suttner
Nach einer Idee von Terry Riley

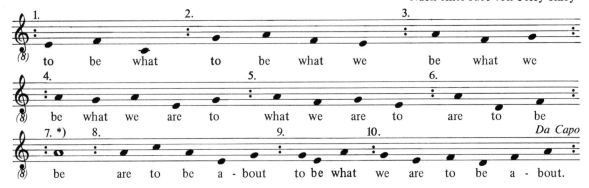

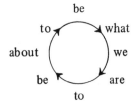

*) o = 4●

Alle singen im gleichen Pulsschlag (●=ca. 60) choralartig und sehr legato. Die Einsätze erfolgen nacheinander oder gleichzeitig; es gibt keinen gemeinsamen Beginn und keinen gemeinsamen Schluß. Jeder wiederholt beliebig oft jedes Modell und singt zweimal das ganze Stück.

ⓒ 1983 by Gustav Bosse Verlag GmbH & Co. KG, Regensburg

Double Song

Christian Wolff, *1937

No more beer: Sing jedes Wort leichthin oder sprich es im Singsang – wie ein Seufzer ohne absinkenden Ton. Beginne mit dem ersten Wort, das beliebig oft wiederholt werden kann; lasse dann das zweite Wort folgen, ebenfalls beliebig oft wiederholt; dann das dritte in gleicher Weise – und all das etwa im Rhythmus des eigenen Atmens.
Fee fie fo fum: gleichzeitig und in gleicher Weise, aber nur auf jedem zweiten oder dritten oder sechsten oder siebten Atem.

ⓒ 1980 by B. Schott's Söhne, Mainz   (aus „Prose Collection")

Looking North

Christian Wolff

Denk Dir einen Puls aus oder stell Dir einen vor, oder erfinde einen, nach eigenem Gutdünken und in beliebiger Gestalt. Wenn Du einen Klang hörst, oder eine Bewegung siehst, oder einen Geruch riechst, oder irgendetwas spürst, das offenbar nicht von Dir selber kommt, das Du aber zeitlich orten kannst, und wenn dies an irgendeinem Punkt mit Deinem Puls zusammenfällt, dann mache diesen bis zu einem gewissen Grad eine Zeitlang hörbar.
a) Gib allen solchen Koinzidenzen Ausdruck.
b) Verdeutliche nur jede zehnte Koinzidenz.
c) Vergiß Deinen Puls und singe ganz dicht an jedem zweiten, fünften, zwanzigsten, oder überhaupt an jedem Ereignis eines anderen Spielers (was wie bei einer Tonbandschleife wiederholt werden kann).
d) Singe eine sehr lange Melodie, im allgemeinen in tiefer Lage und ruhig – ohne besondere Beziehung zu einem Puls (dies nur einmal).

ⓒ 1980 by B. Schott's Söhne, Mainz   (aus „Prose Collection")

Die Atmung

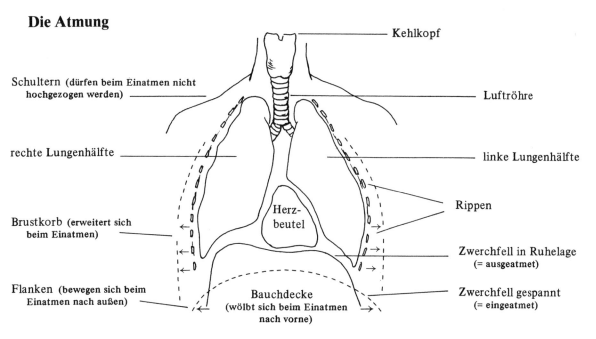

Kehlkopf

Schultern (dürfen beim Einatmen nicht hochgezogen werden)

Luftröhre

rechte Lungenhälfte

linke Lungenhälfte

Herz-beutel

Rippen

Brustkorb (erweitert sich beim Einatmen)

Zwerchfell in Ruhelage (= ausgeatmet)

Flanken (bewegen sich beim Einatmen nach außen)

Bauchdecke (wölbt sich beim Einatmen nach vorne)

Zwerchfell gespannt (= eingeatmet)

Die *Lunge* selbst ist passiv. Durch unwillkürliche und willkürliche Muskelbewegungen (Abflachen des *Zwerchfells*, Tätigkeit der *Atemhilfsmuskulatur*) wird der Brustraum seitlich und nach unten erweitert. Dadurch wird die Lunge „beatmet".

Atemstütze bedeutet: Das Zwerchfell bleibt nach der Einatmung abgeflacht und läßt im Verlaufe der tönenden Ausatmung (= Singen) nur ganz allmählich in seiner Spannung nach.

Atem - Modell

Aus CHORSPIEL (1972) von Hans Darmstadt

1.	a) ein intensives *Ausseufzen:* von links nach rechts (wie ein großer Seufzer) b) sofort in Atemprozesse übergehen: Gruppe 1 unhörbar ein-, deutlich *ausatmen* (*mf* > *pp*) Gruppe 2 unhörbar aus-, deutlich *einatmen* (*pp* < *p* > *pp*); Dynamik entspricht Tempo und Dichte	17"
2.	sofort anschließen: s / sch-Varianten (bei Ein- und *Ausatmen*, durch verschiedene Vokalansätze) *pp poco a poco cresc.* · · · · · ⌢ Luft anhalten → sofort „wie erschrocken" Mund aufreißen (*Ein*atmen)	13"
3.	Luft *aus*strömen lassen auf verschiedenen Vokalen e i u a o ü ei ä *simile*	10"
4.	*Ein*atem-Geräusche: quasi Gespräch, Unterhaltung differenziert, kurz Andeutung verschiedener Gesten: fragend, bittend, erwidernd, scheltend, lachend, schluchzend usw. *pp* bis *mf*	12"
5.	4. wird weiter fortgesetzt dazwischen Fortissimo-Einbrüche (unisono) ↓ = aus / ↑ = ein ↓↑ *ff* ←~3"→ ↑↑↓ *ff* ←~5"→ ↑↓↑↓ sim. („hecheln") *mf* ⌢	13"
6.	Punkte (auf Einsatz!) sch s p h ch sch s k ks *ff* *f* *ff f* *ff* ⌐5⌐ *fff* = Einsatzsignal für (7)	15"
7.	sofort anschließen: intensiv und lang *ein*atmen, kurz aus a) wie nach schnellem, anstrengendem Lauf b) mühsam, wie Asthmatiker	20"
	allmählich beruhigen, in gleichmäßges, ausgeglichenes Atmen übergehen *f* ——— *ppp*	100"

Der Vokalkreis

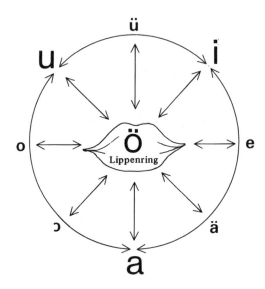

$$au = a \to \mathfrak{c} \to o \to u \qquad / \qquad ei, ai = a \to ä \to e \to i \qquad / \qquad eu, äu = \mathfrak{c} \to ö \to e$$

Alle Vokale werden „eratmet". *Vorgang:* Ausatmen – lockeres Einatmen mit innerer und äußerer Einstellung eines bestimmten Vokals und anschließendes Singen dieses Vokals (auch unter Voranstellung eines Klingers: mu, no, sa etc.). Dabei ist ganz entscheidend die *aktive Einstellung* der Lippen ausgehend vom Lippenring „ö" hin zum gewünschten Vokal.

Beachte: Auf allen durch Pfeile angezeigten Verbindungswegen, gibt es eine (quasi) unendliche Zahl von Mischlauten. Den fließenden Übergang zwischen den einzelnen Vokalen nennt man „Vokalausgleich".

Faustregel: Hole die hellen Resonanzen in die dunklen hinein: blü → i → e → ä → a → ɔ → o → u

Hole die dunklen Resonanzen in die hellen hinein: blu → o → ɔ → a → ä → e → i → ü

Lautier-Modell

Aus CHORSPIEL (1972) von Hans Darmstadt

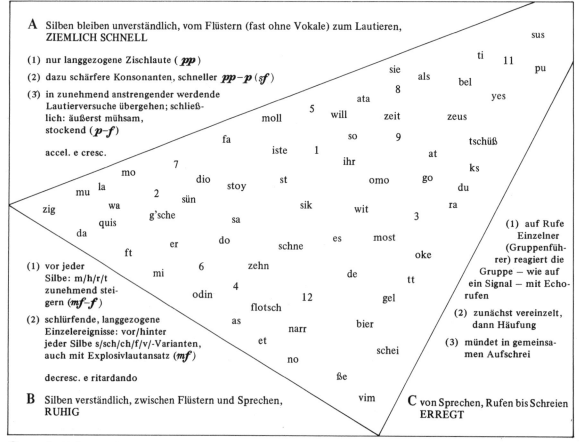

Übungen zur Gehörbildung

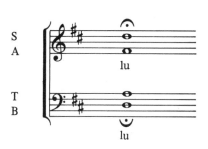

S
A

lu

T
B

lu

Der Chorsänger soll lernen

– sowohl 𝄞 als auch 𝄢 zu lesen.

– Akkorde zu lesen und klanglich zu erfassen.

– seinen Ton zu singen und gleichzeitig den Gesamtklang wahrzunehmen.

– die unterschiedlichen Qualitäten von Akkordtönen zu empfinden (Grundton, Quinte, Durterz, Mollterz, Leitton, Vorhalt, Strebeton, Spannungston).

1. Akkorde aufbauen:

Ausführungsart A:
Das Grundmodell wird unisono in Verbindung mit Tonsilben oder Vokalfolgen aus der Vokalausgleichsreihe (siehe Seite 196) erarbeitet. Je nach Festlegung der Fermaten für die einzelnen Chorstimmen entstehen verschiedene Akkorde. Aus Intonationsgründen singen alle Stimmen auf den gleichen Vokal.

Ausführungsart B:
Nach der gemeinsamen Erarbeitung des Grundmodells „spielt" jeder Chorsänger mit den Tönen, d. h. er wiederholt Töne oder hält sie aus oder geht zum nächsten Ton weiter.

Dadurch entstehen Klänge ständig wechselnder Dichte und Intensität. Durch Hinzunahme von improvisierenden Instrumenten (Stabspiele, Klavier, Schlagwerk) können selbsterfundene Klangabläufe geplant und ausgeführt werden.

1.1 Dur
(auch in Moll auszuführen)

Grundmodell:

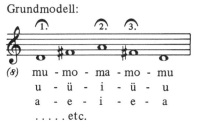

(8) mu - mo - ma - mo - mu
u - ü - i - ü - u
a - e - i - e - a
.....etc.

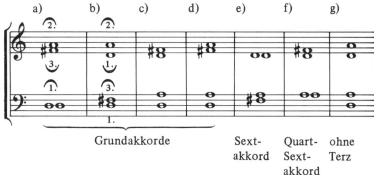

Grundakkorde   Sext-   Quart-   ohne
                      akkord   Sext-   Terz
                                 akkord

1.2 Moll
(auch in Dur auszuführen)

Grundmodell:

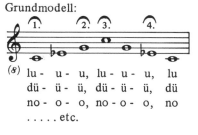

(8) lu - u - u, lu - u - u, lu
dü - ü - ü, dü - ü - ü, dü
no - o - o, no - o - o, no
.....etc.

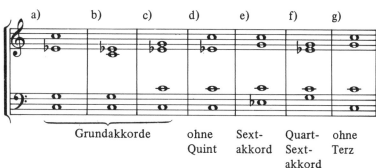

Grundakkorde   ohne   Sext-   Quart-   ohne
                      Quint   akkord   Sext-   Terz
                                          akkord

1.3 Dominantseptakkord

Grundmodell:

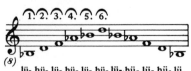

lü- hü- lü- hü- lü- hü- lü- hü- lü- hü- lü
do- a- do- a- do- a- do- a- do- a- do

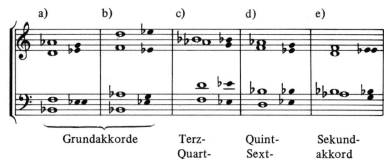

Grundakkorde | Terz-Quart-akkord | Quint-Sext-akkord | Sekund-akkord

1.4 Hinzugefügte Sexte (sixte ajoutée)

Grundmodell:

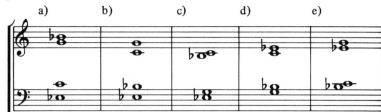

1.5 Großer Septakkord

Grundmodell:

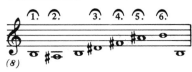

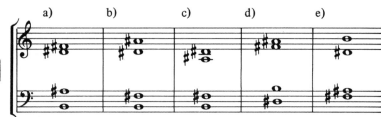

1.6 Verminderter Dreiklang bzw. Septakkord

Grundmodell:

[ ] die eingeklammerten Töne entfallen
bei Ausführungsart B

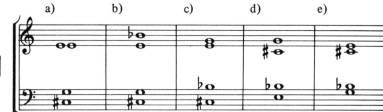

1.7 Übermäßiger Dreiklang

Grundmodell:

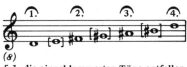

[ ] die eingeklammerten Töne entfallen
    bei Ausführungsart B

198

1.8 Improvisationsmodelle (Ausführungsart B)

a)

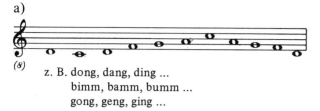

(8)

z. B. dong, dang, ding ...
bimm, bamm, bumm ...
gong, geng, ging ...

Mit den tiefen Stimmen langsam beginnend, dann höher und schneller werdend ein Glockengeläute improvisieren; Stabspiele einbeziehen.

b)

(8)

ga   re   sa   da   pa   ga   re

Mehrere Sängergruppen; jeder Gruppe werden 2-, 3- oder 4-Tonmotive aus dem Grundmodell zugeteilt:
z. B.

1. Gruppe   2. Gruppe   3. Gruppe

ständige Wiederholung; darüber Improvisation mit Rhythmusinstrumenten.

c)   Soprane, Alte, Tenöre: Bässe:

(8)

S, A, T improvisieren in ♩ (= 80). B hält sehr lange einen Ton und wechselt auf Zeichen des Chorleiters.

d)   1. Gruppe   2. Gruppe

(8)

Beide Gruppen improvisieren abwechselnd getrennt oder gleichzeitig.

2.   Cluster aufbauen:

2.1 Ganztoncluster

a)   1. Gruppe 2. Gruppe (sehr langsam)

S/A
bzw.
T/B

(8)

auf beliebigen Klinger oder Vokal

b)

S/A
bzw.
T/B

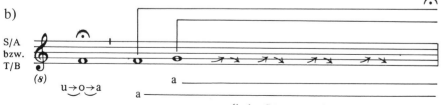

(8)   u → o → a

a

a

(jeder Sänger wechselt von Zeit zu Zeit individuell zum Nachbarton)

199

c)

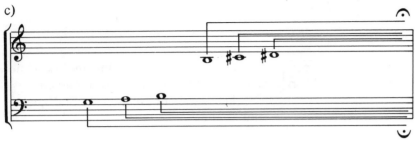

(erst beide Gruppen getrennt üben)

2.2 Halbtoncluster

a)

b)

(jeder Sänger wechselt von Zeit zu Zeit individuell zum Nachbarton)

c)

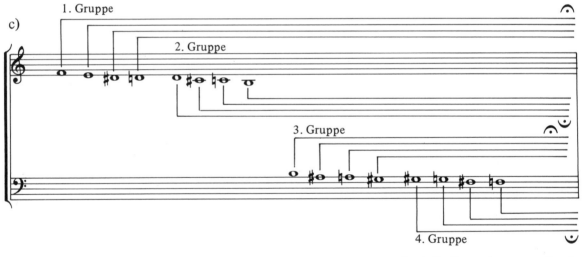

(erst alle Gruppen getrennt üben)

2.3 Glissandoübungen

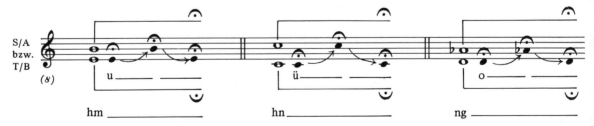

Ein Teil des Chores intoniert Intervalle, die übrigen Sänger singen einzeln oder in Gruppen langsame Glissandi zwischen diesen Tönen (zunächst auf Zeichen des Chorleiters, später individuell; auch gegenläufig!)

200

3. Bewegung mit intonierten Akkorden

3.1 Durdreiklänge

da - do - da   da - do - da   da - do - da   da - de - da - do - da

3.2 Sextakkorde

sa - sa - wa, sa - sa - wa, sa - sa - wa, sa - sa - wa, sa - sa - wa, sa - wa - sa

3.3 Quartsextakkord, Mollsextakkord, Mixtur, Molldreiklang

Grundmodell

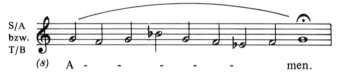

A - - - - - men.

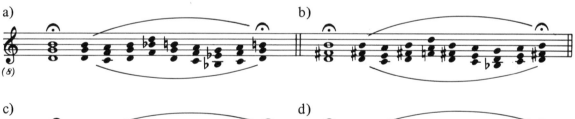

a)   b)

c)   d)

3.4 Akkordrückungen (erst einstimmig, dann in Stimmenpaaren üben!)

a)

so - sa - so   so so   du - do - du   du du   la - lä - la   la la

b)

do - da - do - du - do   no - na - no - nu - no   wo - wa - wo - wu - wo

4. Tonleitern

4.1 Durtonleiter (im Kanon)

S/A
bzw.
T/B
(8)

4.2 Harmonisches Moll (im Kanon)

S/A
bzw.
T/B
(8)

4.3 Ganztonleiter und chromatische Tonleiter

a)

S/A
bzw.
T/B
(8) a→o→a   sa _____   sa _____

b)

S/A
bzw.
T/B
(8) u→o→u   nu _____   nu _____

c)

(8) blü→i→ü   dü _____   dü _____

d)

S
A

T
B

(nach Johann Pachelbel)

Erst Stimmen und Stimmenpaare in Abschnitten üben; dann Takt 2, 4, 6, 8, 10 auslassen

e)

Erst Stimmen und Stimmenpaare in Abschnitten üben; dann Takt 2, 4, 6, 8, 10 auslassen

(nach Hans Leo Hassler)

f)

(in Ausschnitten üben)   (nach Gesualdo di Venosa)

g)

h)

i)

Textübertragungen

K. S. = Kurt Suttner / B. G. M. = Bernd-Georg Mettke / M. F. = Max Frey

Cunctipotens Genitor Deus (S. 11)

Allmächtiger Schöpfer-Gott, Ursprung der Welt, erbarme dich unser.   K. S.

Gaudens in Dominio – Jube Domine (S. 13)

Der Conductus (Begleitgesang) wurde gesungen, während die Hl. Schrift in feierlicher Prozession zum Lektorenpult getragen wurde.

In der Freude des Herrn möge an diesem Festtag die Schar aller Gläubigen frohlocken
mit Hymnen und mehrstimmigen Gesängen zum Lob des Vorläufers *(gemeint ist Johannes der Täufer)*, dessen Wundertaten die Kirche verehrt,
der von Kindheit an in der Gnade Gottes dem Herrn mit frommem Sinne diente.

Und du, Lektor, tritt vor und beginne deinen ersten Gesang mit der Aufforderung „jube domine".

Die Lesung wurde wegen der Bedeutung des Weihnachtsfestes in feierlicher Zweistimmigkeit vorgetragen.

Gewähre, o Herr, den Lauschenden Schweigen und aufmerksames Zuhören, damit sie verstehen können und damit ich verkünden kann. In früherer Zeit lag das Land Zabulon und das Land Neptalim darnieder, jetzt aber ist Licht über dem Gebiet der Meeresstraße, die von jenseits des Jordan zum Gebiet der Heiden *(gemeint ist Galliläa)* hinab führt. So spricht der Herr unser Gott: bekehrt euch zu mir und ihr werdet gerettet werden.

                    K. S.

Vexilla regis prodeunt (S. 14)

1. Des Königs Fahnen wehn voran, es leuchtet auf das geheimnisvolle Kreuz, an dessen Balken der Schöpfer allen Fleisches in seinem Fleische hing.
2. Aus ihm, verwundet durch die schreckliche Spitze der Lanze, floß Blut und Wasser, damit er unsere Herzen von Sünden reinwasche.
3. In Erfüllung ging, was David allen Völkern in seinem frommen Lied gesungen hatte: Gott wird vom Kreuzesholze aus regieren.
4. Heil dir, o Kreuz, du einzige Hoffnung in dieser Leidenszeit, verleih den Frommen deine Huld und tilge den Sündern ihre Vergehen.
5. Dich, dreifaltiger Gott, Quelle des Heils, lobt jeglicher Geist: Verleih denen, die du mit dem Sieg am Kreuze beschenkst deinen Lohn.   K. S.

Alta Trinità beata (S. 15)

Heilige, erhabene, von uns immer verehrte und ruhmvolle Dreifaltigkeit, wunderbare Einheit,
du bist das wohlschmeckende und über alles ersehnte Manna.   K. S.

O Jesu, fili David (S. 16)

O Jesus, Sohn des David, erbarme dich meiner.
Meine Tochter wird von einem bösen Geist arg geplagt. Auch die Hündlein essen von den Brosamen, die vom Tisch ihrer Herren fallen. O Weib, groß ist dein Glaube. (Erklärung siehe Arbeitshilfen zu Chor aktuell)
                    K. S.

Tu pauperum refugium (S. 18)

Du Zuflucht der Armen, Erquickung der Müden, Hoffnung der Verbannten, Stärke der Leidenden, Weg der Umherirrenden, Wahrheit und Leben: Wohlan, mein Herr und Erlöser, zu dir allein nehme ich meine Zuflucht, dich wahrer Gott bete ich an, auf dich vertraue ich, mein Heil Jesus Christus, hilf mir, daß meine Seele nicht untergehe im Tode.   K. S.

O crux ave (S. 22)

Sei gegrüßt, Kreuz, einzige Hoffnung: in dieser Leidenszeit verleih den Frommen Gerechtigkeit und schenke den Sündern Vergebung.   K. S.

Gloria Patri (S. 24)

Die Ehre sei dem Vater und dem Sohne und dem Heiligen Geiste, wie es war im Anfang, so auch jetzt und immerdar und in alle Ewigkeit. Amen.   K. S.

O bone Jesu (S. 26)

O guter Jesus, erbarme dich unser, denn du hast uns erschaffen, du hast uns erlöst mit deinem allerkostbarsten Blut.   K. S.

Dame albricias hijos d' Eva (S. 33)

Gebt mir Botenlohn, ihr Söhne Evas! Warum soll man ihn dir geben? Weil der neue Adam geboren ist. O Sohn Gottes, welch frohe Botschaft! Gebt mir den Lohn und freut euch, denn geboren ist der verheißene Messias, Gott und Mensch und seine Geburt rettet euch vor Sünde und Schande.

K. S.

Ave verum (S. 43)

Sei gegrüßt, wahrer Leib, geboren aus der Jungfrau Maria, wahrhaft dem Leiden unterworfen und am Kreuz für die Menschen hingeopfert, aus dessen Seite, als er durchbohrt ward, Blut und Wasser floß. Sei von uns gekostet in der Prüfung unserer Todesstunde.

K. S.

Locus iste (S. 52)

Diese Stätte ist von Gott gemacht, ein unergründliches Geheimnis, kein Makel ist an ihr.

K. S.

Veni Emmanuel (S. 56)

Komm, komm Emmanuel, errette das gefangene Israel, das in der Verbannung seufzt, des Gottessohns beraubt. Freue dich, freue dich! Emmanuel wird für dich, Israel geboren.

Komm, du Zweig Jesse, führe die Deinen heraus aus der Kralle des Feindes, aus der Höhle des Tartarus, und aus dem Schlund des Abgrunds. Freue dich ...

Komm, o komm, du Morgen, der sich uns naht, die Sonne verkündend, vertreibe die Nebel der Nacht und ihre schrecklichen Finsternisse. Freue dich ...

Komm, du Schlüssel Davids, schließe auf das himmlische Reich, mach sicher den Weg nach oben und verschließe die Straßen zur Unterwelt. Freue dich ...

Komm, du Gott Israels, der du dem Volk auf dem Berge Sinai gabst das Gesetz in erhabenem Glanze. Freue dich ...

K. S.

El grillo (S. 61)

Die Grille ist eine gute Sängerin, die lange Verse durchhält. Die Grille singt vom Morgentau an. Aber sie macht es nicht wie alle Vögel; sobald diese ein wenig gesungen haben, fliegen sie doch woanders hin. Die Grille dagegen bleibt immer am selben Ort und wenn dort die Hitze am größten ist, singt sie nur noch aus Liebe.

B. G. M.

Mille regretz (S. 62)

Tausendmal bedauere ich es, Dich zu verlassen und Abschied zu nehmen von Deinem lieben Gesicht. Ich bin voll Trübsal und Schmerz, sodaß man bald sehen wird, wie ich meine Tage beende.

B. G. M.

Fyez vous y (S. 64)

Vertraue auf sie, wenn du willst, aber wenn du sie nimmst, wirst du der Betrogene sein. Ich sage es dir ganz offen und lüge nicht ... denn ein Vergnügen wird es nicht mit ihr sein ... Eine schöne Frau ist wie ein Boot, das auf den Wellen schaukelt; sobald man es anfassen will, entgleitet es.

K. S.

Quand mon mary vient de dehors (S. 66)

Wenn mein Mann hereinkommt, ist es mein Los, geschlagen zu werden. Er nimmt den Schöpflöffel und schlägt ihn mir auf den Kopf. Ich habe große Angst, daß er mich totschlägt. Er ist ein hinterhältiger und eifersüchtiger Kerl; er ist ein hämischer und mißmutiger Geizhals. Ich bin jung und er ist alt.

B. G. M.

Madonna ma pietà (S. 68)

Gebieterin, auch meine Liebe fleht um Hilfe, denn ich sterbe und verzehre mich umsonst, Ihr aber laßt mich schreien. Ich schreie und Ihr hört es nicht: Gebieterin, schüttet Wasser in dies Feuer, denn ich fühle mich langsam sterben.

Ich bin fast heiser vor lauter Flehen um Hilfe, Ihr aber amüsiert Euch nur angesichts meines Leidens. Trotzdem schrei ich überall: Gebieterin, schüttet Wasser in dies Feuer, denn ich fühle mich langsam sterben.

B. G. M.

Un jour je m'en allais (S. 70)

Eines Tages ging ich Veilchen pflücken. Ich traf Michaut, der mir aus Zuneigung diesen schönen Vogel schenkte. Hört nur, wie er singt, und wie er aus lauter Liebe seufzt und klagt.

Du bist ein falscher Knabe, Michaut, das kann ich wohl sagen; Du hast durch diesen Vogel alles erreicht, was Du wolltest, denn durch ihn hast Du mich die süße Flamme spüren lassen, die insgeheim mein ganzes Herz erfaßt hat.

B. G. M.

M' ha punt' Amor (S. 71)

Amor hat mich mit spitzem Pfeil getroffen und ruft über Meere und Länder: Zu den Waffen! Es ist Krieg!

B. G. M.

Il est bel et bon (S. 74)

Er ist anständig und nett, Gevatterin, mein Mann. Es waren zwei Frauen vom Lande, und die eine sagte zu der anderen: Du hast einen netten Mann.

... Ja, er ist niemals zornig auf mich, und er schlägt mich nicht. Er verrichtet die Hausarbeit und gibt den Hühnern Futter, und ich amüsiere mich.

Gevatterin, ist es nicht zum Lachen, wenn die Hühner schreien: Du kleine Kokette, was soll denn das? ...

B. G. M.

April is in my mistress' face (S. 76)

April zeigt sich im Gesicht meiner Braut, und Juli sitzt in ihren Augen, in ihrer Brust ist September, aber in ihrem Herzen ist kalter Dezember.

B. G. M.

Fair Phillis I saw (S. 78)

Die schöne Phillis sah ich ganz alleine sitzen, wie sie ihre Herde nahe am Berg weidete. Die Hirten wußten nicht, wohin sie gegangen war, aber ihr Liebhaber Amyntas eilte ihr nach. Auf und ab ging er und suchte sie; als er sie fand, o, da begannen sie sich zu küssen.

B. G. M.

Hark, all ye lovely saints (S. 80)

Hört, all ihr lieben Götter dort oben, Diana hat mit dem Gott der Liebe vereinbart, seinen feurigen Pfeil fortzuwerfen. Seht ihr denn nicht, wie sie sich einig sind? Dann hört auf schöne Frauen; warum weint ihr?

Seht, seht, eure Herrin befiehlt euch, aufzuhören und den Liebesgott mit noch mehr Liebe zu begrüßen; Diana hat für euren Frieden gesorgt. Amor hat geschworen, eher seine schlimmen Bogen zu zerbrechen und zu verbrennen, als Frauen traurig zu machen.

B. G. M.

Capricciata – Launenhaftigkeit (S. 91)

Werte Zuhörer, ihr werdet jetzt vier schöne Humoristen hören: Ein Hund, eine Katze, ein Kuckuck und eine Eule improvisieren zum Spaß einen Kontrapunkt über einen Baß.

Contrappunto bestiale alle mente – Tiere improvisieren einen Kontrapunkt (S. 92)

Traue nicht den Buckligen *(Hund, Katze?)* und auch nicht den Lahmen *(Kuckuck, Eule?)*; wenn aber dieser Scherz gelungen ist, so schreib einen neuen.

B. G. M.

There was an old man in a tree (S. 97)

Es saß einmal ein alter Mann auf einem Baum und ärgerte sich schrecklich über eine Biene. Als man ihn fragte: „Summt sie denn?", antwortete er: „Ja, sie summt! Sie ist ein richtiges Bienenungeheuer!"

B. G. M.

Canzone (S. 106)

O Lied, wenn du an jenem süßen Ort unsere Gebieterin siehst, glaube ich, und du glaubst es auch, daß sie dir ihre schöne Hand reichen wird, da ich ja so weit entfernt bin.

Rühre sie nicht an, sondern ehrerbietig ihr zu Füßen kniend sage ihr, daß ich dort sein werde, sobald ich kann, in reinen Gedanken oder als Mensch aus Fleisch und Blut.

B. G. M.

Verger – Obstgarten (S. 108)

Niemals ist die Erde mehr wirklich als in deinen Zweigen, o heller Hain, niemals mehr flüchtig, als in dem Spitzenmuster, das dein Schatten auf den Rasen wirft.

Dort trifft zusammen was uns verbleibt, was zählt und was uns aufrichtet, mit der vorüberhuschenden Offenbarung der unendlichen Zärtlichkeit.

Die leise Quelle aber in deiner Mitte, die fast schläft in ihrem uralten Brunnen, erzählt kaum etwas von diesem Gegensatz, sosehr strömt alles in ihr zusammen.

B. G. M.

Il est né le divin Enfant (S. 120)

Gottes Sohn ist geboren heut; klinget Oboen und spielt Schalmeien,
Gottes Sohn ist geboren heut; seine Ankunft die Welt erfreut.

1. Mehr als viertausend Jahre schon gaben uns die Propheten Kunde,
Mehr als viertausend Jahre schon warten wir auf den Gottessohn.

2. Ach, wie lieblich, wie zart und lind, ach, wie herrlich sind seine Gaben.
Ach, wie lieblich, wie zart und lind, o wie süß ist das Gotteskind!

3. O du König in Macht und Glanz, kleines Kind vor uns in der Krippe,
O du König in Macht und Glanz, du, regier' und beherrsch' uns ganz!

K.S.

Ah! Dis – moi donc, bergère (S. 121)

Schäferin, o sag mir doch: wieviel Schafe nennst du dein? Ich muß sie zählen, mein Herr. Wem gehören die Schafe? Denen, die sie bewachen! Ist der See denn tief? Er geht bis auf den Grund. Hast du keine Angst vor dem Wolf? Vor dem Wolf nicht mehr als vor Euch!

M. F.

Eveille – toi, Renaud (S. 122)

1. Hinter unserem Haus steht ein Wald, O Renaud, wach doch auf! In diesem Wald wachsen Nüsse.

2. Ich pflückte zwei und aß drei.

3. Drei Monate lag ich davon krank im Bett.

4. Alle meine Verwandten kamen mich besuchen.

5. Nur meine Liebste kam nicht.

6. Jetzt seh ich sie dort drüben kommen, O Renaud, wach doch auf!

M. F.

Drink to me only (S. 124)

Trinke mir nur mit Deinen Augen zu, und ich will Dir mit meinen Bescheid geben; oder laß einfach einen Kuß im Becher, dann will ich nicht nach Wein fragen. Der Durst, der aus der Seele aufsteigt, erfordert einen göttlichen Trunk: Aber selbst wenn ich von Jupiters Becher versuchen dürfte, ich würde Deinen nicht dafür eintauschen. Ich habe Dir neulich einen Kranz aus Rosen geschickt, und ich hätte Dich nicht so eingeschätzt, daß ich gehofft hätte, bei Dir würde er nicht verwelken. Aber Du hast ihn nur angehaucht und ihn mir zurückgeschickt: Seitdem wächst er, und duftet, ich schwör's, nicht nach Rosen, sondern nach Dir.

M. F.

Drömmarna – Träume (S. 126)

Geschlechter kommen und gehen. Gleiten wie Ströme, sterben, verschwinden und erlöschen. Doch sterben nicht die verlockenden Träume; sie leben bei Sonne, Trauer und Sturm; sie schlummern und werden auf Bahren gelegt und erstehen wieder in schimmernder Form und folgen einander in ihren Spuren. Wo sie auch kommen und gehen, sie gleiten wie spiegelnde Ströme, wie sie auch immer verschwinden und erlöschen, sie leben ewig, die Träume.

M. F.

La cucaracha (wörtlich: Küchenschabe = Küchenmädchen) (S. 128)

Die Cucaracha geht lieber nicht aus, weil sie überhaupt kein Geld hat und darum nichts ausgeben kann.

1. Eine bunte Cucaracha sagt zu einer farbigen: Geh'n wir doch in meine Heimat, um dort den Sommer zu verbringen.

2. Wie zwei helle Sterne strahlen die Augen aller Mädchen, doch am allerschönsten leuchten die der Mexikanerinnen.

M. F.

Boleras Sevillanas (S. 129)

1. Die Sevillanerinnen tragen auf ihrem Schal ein Zeichen, das sagt: Es lebe Sevilla! Es gibt keine andere Liebe als die einer Sevillanerin, leidenschaftlich und treu!

2. Wie Locken aus reinem Gold sind deine Haare und deine Augen sind so blau wie der Himmel.

M. F.

Až já pojedu (S. 132)

Trag mich schön, mein Pferdchen, wenn ich durch den Wald reiten werde. Lauf schön gleichmäßig, stampfe nicht! Trag mich, Pferdchen, wohin du willst.

M. F.

Pod kopinom (S. 133)

Unter diesem grünen Busch liegt mein Liebster und schläft. Er hat mir ein Seidentüchlein, einen kleinen goldenen Ring, kleine gelbe Stiefel versprochen; doch meine Mutter wird das wohl nicht mögen!

M. F.

Kad si bila mala Mare (S. 134)

1. Als du klein warst, Marietta, liebtest du das Meer, jetzt da du erwachsen bist, Marietta, liebst du die Seeleute.

2. Niemals werde ich vergessen die Stätte meiner Geburt, nie kann ich vergessen die lieben Augen dein.

1. – 2. Marietta, mein süßes Paradies, Marietta, du mein Engel.

Franz Möckl

Esti dal – Abendlied (S. 138)

Die Dämmerung hat mich am Waldrand erreicht. Ich legte die Mütze unter meinen Kopf, faltete die Hände und betete zu meinem Gott: Gib mir Obdach, ich bin müde vom Wandern und vom Leben auf fremder Erde. Gib mir eine gute Nacht, sende mir deinen heiligen Engel, gib den Träumen meines Herzens Mut, schenk mir eine gute Nacht.

M. F.

Hochzeitslied (S. 144)

Ich geh mit der Ranke, mit einer goldenen Ranke; ich weiß nicht, wohin ich sie legen soll, die goldene Ranke.

M. F.

Shalom aleichem — Friede sei Euch! (S. 145)

Friede sei Euch! Engel des Friedens, Engel des Höchsten, König der Könige, Gesegnet sei der Heilige. Kommt zum Frieden!

M. F.

Radhalaila (S. 146)

Wenn die Nacht kommt, klingt unser Lied laut hinauf zum Himmel. Komm, unsere Hora erneuert sich immer wieder. Komm, wir werden tanzen, unser Weg hat kein Ende, weil die Kette nie abreißt. Unsere Herzen sind ein Herz bis in alle Ewigkeit, weil unsere Kette nie abreißt.

M. F.

Quando conveniunt (S. 168)

Wenn Sie zusammenkommen, die Ancilla, die Sybilla und die Camilla, schwätzen sie über dies und über das und über jenes *(bella bulla bullula = Lautmalerei für das Geschwätz der Mädchen)*.

K. S.

Sachgruppenverzeichnis

Alphabetisches Verzeichnis der Komponisten und Arrangeure

Alphabetisches Titelverzeichnis